A1 **Libro del alumno**

Reporteros internacionales 1

difusión

EDICIÓN ORIGINAL

Autoras de las unidades: Virginie Auberger Stucklé, Sandrine Debras, Delphine Rouchy
Autora de los cómics y Especiales *La Ventana*: Matilde Martínez Sallés
Autora de los Juegos: Gwenaëlle Rousselet
Autor del Taller de teatro: Ernesto Rodríguez

EDICIÓN INTERNACIONAL

Autoras de las unidades: Marcela Calabia, Maria Letizia Galli, María Signo Fuentes
Revisión pedagógica: Agustín Garmendia
Coordinación editorial y redacción: Clara Serfaty
Corrección: Sílvia Jofresa
Glosario: Juan Urbán, Silvia López
Traducción del glosario: Anexiam, S. L.
Diseño gráfico. Cubierta: Difusión **Interior:** Besada+Cukar
Maquetación: Elisenda Galindo, Laurianne López
Fotografías de los Reporteros: José Castro, Kota
Ilustraciones: Olga Carmona, Paula Castel, Mar Guixé, Alejandro Milà, Ernesto Rodríguez
Documentación: Raquel Trigo
Cartografía: Digiatlas
Consejos y sugerencias didácticas: Adriana Ramos, Felipe Acosta, Cristina Sánchez-Satoca, César Chamorro
Sonido: Estudio Difusión (Barcelona)
Locutores: Luis García Márquez, Xavier Miralles, Ximena Tello, Laia Niubó, Rubén Gutiérrez, Ernest Rossell, Jennifer Seefoo, Juan José Fantoni, Florencia Icasuriaga, Bruno Icasuriaga, Biel Niubó, Stefanie Seidel, Ilaria Bada, Sergio Sánchez, Miguel Cano, Ainara Munt, Agustín Garmendia, Agnès Font, Pablo Garrido, Laia Sant, Ana Escourido, Clara Serfaty

Imágenes: U0 p. 13 René Lorenz/iStockphoto, Photaki, Fanny Schertzer/CHUCAO/Wikimedia Commons, Juanmonino/iStockphoto, Ppy2010ha/Dreamstime, Natallia Charkesava/Dreamstime, ErichLessing/Album © Succession Picasso 2016, Serdar Yaggi/iStockphoto, Archeophoto /iStockphoto, artJazz retallat/iStockphoto, p. 14 Chenjingpo2004/Dreamstime, SIphotography/iStockphoto, Aleksey Ipatov/Dreamstime, p. 15 Vykkdraygo/Dreamstime, Nata77/Fotolia, Danflcreativo/Dreamstime, massimo/Fotolia, Design56/Dreamstime, Ermess/Dreamstime, pixelrobot/Fotolia, Xavier Arnau/GettyImages, Goldfinch4ever/GettyImages, Kota/Difusión, p. 16 mgkaya/iStockphoto, flyfloor/iStockphoto, Alter_photo/iStockphoto, RosenKaranedev/iStockphoto, GlobalP/iStockphoto, Kirillm/iStockphoto, horiyan/iStockphoto, ratpack223/iStockphoto, hudiemm/iStockphoto, Spiderstock/iStockphoto, julichka/iStockphoto, kyoshino/iStockphoto, **U1** p. 26 neirfy/iStockphoto, p. 27 José Castro/Difusión, Ben Schonewille/Dreamstime, tpx/Fotolia, Joel Calheiros/Dreamstime, p. 29 KarSol/iStockphoto, Halfpoint/iStockphoto, vander/iStockphoto, p. 31 arquiplay77/iStockphoto, Tom Merton/iStockphoto, Imgorthand/iStockphoto, extravagantni/iStockphoto, agustavop/iStockphoto, Moussa81/iStockphoto, DieterMeyrl/iStockphoto, p. 33 KavalenkavaVolha/iStockphoto, Oleh_Slobodeniuk/iStockphoto, william87/iStockphoto, Willbrasil21/iStockphoto, José Castro/Difusión, p. 34 martin-dm/iStockphoto, p. 35 kalig/iStockphoto, p. 40 Isselee/Dreamstime, p. 41 lisegagne/iStockphoto, p. 41 ErichLessing/Album © Succession Picasso 2016, "Fotograma Don Quijote 1978"/Album/rtve.es, p. 42 José Castro/Difusión, Amblin Entertainment/Album, p. 43 Rainer Seifert/Difusión, **U2** p. 44 jauregui, p. 44 Julija Sapic/Dreamstime, p. 45 Pablo Hidalgo/Dreamstime, José Castro/Difusión, Jultud transp/Fotolia, p. 46 hansgeel transp/Fotolia, p. 47 José Castro/Difusión, Grafner/Dreamstime, Lightkeeper/Dreamstime, José Castro/Difusión, Destina156/Dreamstime, Summertimeo8/Dreamstime, p. 48 vladwel transpi/Stockphoto, VvoeVale transp/iStockphoto, Jultud/Dreamstime, Minadezhda/Dreamstime, Carolborreda/Dreamstime, Vladislav Nosik/Dreamstime, Gunold Brunbauer/Dreamstime, Juanmonino/iStockphoto, Tracy Whiteside/Dreamstime, Vincent Shane Hansen/iStockphoto, p.49 Kota/Difusión, p. 50 Jarp/Dreamstime, Angelafoto/Dreamstime, Digitalpress/Fotolia, Nutsiam/Dreamstime, Viter8/Dreamstime, Isselee/Dreamstime, p. 51 Elena Titarenco/Dreamstime, nimis69/iStockphoto, Ongap/Dreamstime, Sebastianknight/Dreamstime, Marinaks/Dreamstime, p. 52 Enrique Gomez/Dreamstime, p. 56 GregorBister/iStockphoto, Donluismi/Dreamstime, p. 58 Carlos Romero Oreja/Dreamstime, Michael Elliott/Dreamstime, p.59 Jarnogz/Dreamstime, José Castro/Difusión, Gea Strucks/Dreamstime, Mark Kostich/iStockphoto, Bjørn Christian Tørrissen/Wikimedia Commons, p. 60 Droomgans/Dreamstime, p. 61 Pablo Hidalgo/Dreamstime, **U3** p. 62 Benjamin Albiach Galan/Dreamstime, p. 63 Sorolla/Culture images/Album, Silvia Blaszczyszyn Jakiello/Dreamstime, José Castro/Difusión, p. 64 Familia Mínguez Saoner/Difusión, p. 65 Familia Mínguez Saoner/Difusión, p. 66 Chica Vampiro/Televisa S.A. y CRC, mphillips007/iStockphoto, Wlad7/iStockphoto, GlobalP/iStockphoto, bebecom98/iStockphoto, p. 67 Óscar García/Difusión, lanacion.com.ar, p. 71 prcomunicacion.com, p. 72 RonTech2000/iStockphoto, p. 73 molotovcoketail/iStockphoto, p. 74 micasarevista.com, p. 76 Yulia Ryabokon/Dreamstime, Las dos hermanas/Joaquin Sorolla/Album/Culture images, Foto de la familia de Joaquin Sorolla/Album_Oronoz, La familia del pintor/Joaquin Sorolla/Album_Oronoz, p. 77 José Castro/Difusión, p. 78 Tupungato/Dreamstime, **U4** p. 80 Clickos/Dreamstime, www.expedia.mx, p. 81 eleconomista.com.mx, Kota/Difusión, Lisa F. Young/Dreamstime, Saul Tiff, Saul Tiff, p. 82 vmexicoalmaximo.com, Fiifre/Dreamstime, Dave Bredeson/Dreamstime, Kota/Difusión, p. 85 agcuesta/iStockphoto, atiatiati transp/iStockphoto, p. 86 instamatics transp/iStockphoto, robynmac transp/iStockphoto, dcdr transp/iStockphoto, Kota/Difusión, p. 86 Bryljaev/Dreamstime, Michael Gray/Dreamstime, Mykola Lukash/Dreamstime, p. 90 aldomurillo/iStockphoto, dgmata TRANSP 2/iStockphoto, p. 91 Bliznetsov transp/iStockphoto, p. 94 Alexandra Cárdenas/Flickr, Aneese/iStockphoto, kertu_ee/iStockphoto, p. 95 eleconomista.com.mx, seterra.com, p. 97 Juanmonino/iStockphoto, **U5** p. 98 ilbusc/iStockphoto, Lunamarina/Dreamstime, p. 100 KevinAlexanderGeorge/iStockphoto, ar049/Fotolia, Cojvgpt/Wikimedia.jpg, Chefprovlieu/Wikimedia.jpg, p. 102 Hanmon/Dreamstime, jax10289/iStockphoto, Sergei_Aleshin/iStockphoto, p. 103 Sjors737/Dreamstime, p. 104 J.P. Fuentes/Photaki, Agrino/Dreamstime, Ayuntamiento de Salamanca, Lightkitegirl/Dreamstime, Alexander Ryabintsev/Dreamstime, Agrino2/Dreamstime, p. 112 Unidadnalozmen/iStockphoto, p. 112 Agrino2/Dreamstime, p. 113 Concello de Pontevedra, p. 114 Lunamarina/Dreamstime, **Especial La Ventana: Navidad** p. 116 Juan Moyano/Dreamstime, Alexander Studentschnig/Dreamstime, p. 116 Demachy/Dreamstime, Miguel Angel Morales Hermo/Dreamstime, Coramueller/Dreamstime, Alberto Loyo/Photaki, p. 117 Luis Santos/Photaki, Natursports/Dreamstime, Juan Moyano/Dreamstime, **Especial La Ventana: Fiestas** p. 118 Double/iStockphoto, Dan Talson/Dreamstime, Salvacubells/Dreamstime, Ruben Gutierrezs/Dreamstime, p. 119 Brian Maudsley/Dreamstime, pinterest.es, **Resumen gramatical** p. 137 ydbqs.volumtrk.com, apomare/iStockphoto, Imgorthand/iStockphoto, p. 140 olm26250/iStockphoto, p. 141 Arkadivna/iStockphoto, pinstock/iStockphoto

Textos: U2 "Mi mascota y yo": 20 minutos, "Chikirreporteros": Taller de Capacitación e Investigación familiar, TACIF/NAPA, **U4** Cuentos para Ulises, Juan Carlos Ortega, Penguin Random House, **U5** Bekiapadres, Noxvo SL.

Vídeos: U1 *¿De dónde eres?*, Difusión, **U2** "Chikirreporteros": Taller de Capacitación e Investigación familiar, TACIF/NAPA, **U3** *¡Esta es mi familia!*, Difusión; *¡Manos! ¡Pies! ¡Cabeza!*, Difusión; *Ártico*. Oceanogràfic (2012) Canal oficial de la Ciudad de las Artes y las Ciencias, Valencia (www.cac.es) **U4** *¿Qué haces en tu tiempo libre?*, Universidad Autónoma de Guadalajara, México (2013) **U5** "Pontevedra, una ciudad hecha paseo": Reportaje de V Televisión (www.vtelevision.es)

Agradecimientos: Laia Sant, Noemí Martínez, Ana Escourido, Ainara Munt, Agnès Berja

difusión
Centro de
Investigación y
Publicaciones
de Idiomas, S. L.

C/ Trafalgar, 10, entlo. 1ª
08010 Barcelona - España
Tel.: (+34) 932 680 300
Fax: (+34) 933 103 340
editorial@difusion.com

www.difusion.com

© Difusión, S. L., Barcelona 2018
ISBN: 978-84-16943-76-0
ISBN edición híbrida: 978-84-19236-39-5
Reimpresión: abril 2022
Impreso en la UE

Introducción

Reporteros internacionales es un manual de español que facilitará a los adolescentes de todo el mundo, y a sus profesores, acercarse al mundo hispano de hoy en día.

Esta obra apuesta por una didáctica inclusiva en todos sus aspectos: tipografía de alta legibilidad, lenguaje gráfico muy claro y propuestas adaptadas a todos los estudiantes, incluidos aquellos con necesidades específicas en el aprendizaje.

En la creación de este manual, hemos perseguido un triple objetivo. Por un lado, ofrecer al profesor de español propuestas didácticas originales, dinámicas y efectivas, diseñadas para facilitar el aprendizaje. Por otro, responder a las necesidades y los intereses de los jóvenes adolescentes para asegurar su motivación e involucrarlos en el proceso de aprendizaje. Y por último, dotar a los estudiantes de herramientas para que desarrollen su autonomía y sean capaces de explorar nuevos contenidos lingüísticos y culturales.

Reporteros internacionales 1 presenta:

- Unidades protagonizadas por **jóvenes reporteros procedentes de España y Latinoamérica**.

- **Secuencias de trabajo ágiles** que se completan con un entretenido **proyecto final**.

- Una **progresión lingüística natural y muy cuidada**, sintetizada de manera visual y accesible en los apartados de *Mi gramática*.

- Divertidos **mapas mentales** que recogen el vocabulario más importante de cada unidad para facilitar su aprendizaje.

- Numerosas **actividades lúdicas y juegos**, ideales para fomentar la **interacción oral dentro del aula**.

- Una especial atención a la **realidad cultural del mundo hispano**, presentada a través de documentos escritos y audiovisuales a menudo auténticos.

- Espacios para desarrollar las **competencias intercultural y cívica**: *El cómic de los Reporteros* y el apartado *Compartimos el mundo*.

- Una sección dedicada a las **estrategias de estudio y aprendizaje**.

- Numerosas propuestas de trabajo con internet y herramientas digitales en nuestra página web **campus.difusion.com**

Los recursos digitales de Reporteros internacionales 1 en campus.difusion.com

- Libro digital interactivo
- Libro del profesor
- Evaluaciones
- Audios y vídeos
- Transcripciones de los audios
- Fichas de apoyo para el profesor
- Fichas de ayuda para el estudiante
- Actividades interactivas

- Mapas mentales
- Fichas de léxico
- Gramaclips
- Soluciones
- Glosarios
- *Mis estrategias de aprendizaje* y la Unidad O traducidas al inglés, al francés, al portugués y al alemán.

Cómo es Reporteros internacionales • LAS UNIDADES

LA PÁGINA DE ENTRADA

Un **mapa** para descubrir el país y la ciudad del reportero o reportera de la unidad.

El **índice** de la unidad nos presenta las herramientas de comunicación, el léxico y la gramática que se practicarán y los talleres de lengua que harán los alumnos.

¡En marcha! Dos actividades cortas, una de comprensión escrita y otra de comprensión oral, para **entrar en contacto** con los temas de la unidad.

LAS TRES LECCIONES

Cada lección propone, en una doble página, una **secuencia didáctica** completa en la que los alumnos interactúan con documentos interesantes, se apropian de nuevos contenidos lingüísticos y practican diferentes actividades de la lengua.

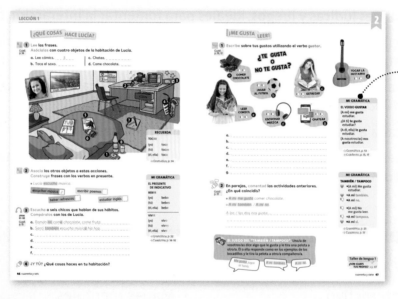

Mis palabras, **Mi gramática** y **Recuerda**. Cuadros de ayuda que los alumnos pueden consultar en el momento de hacer las actividades.

Los recuadros de gramática son de color verde y los de léxico, de color lila.

¿Sabes que...? **Notas culturales** sobre España y Latinoamérica.

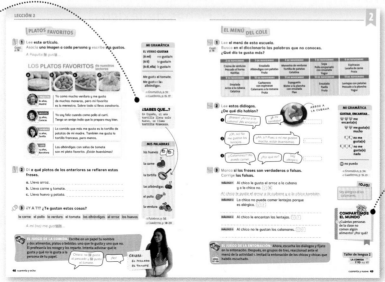

Compartimos el mundo. Actividades cortas que muestran a los estudiantes **nuevas realidades** sociales y culturales que los ayudan a entender **el mundo que los rodea**.

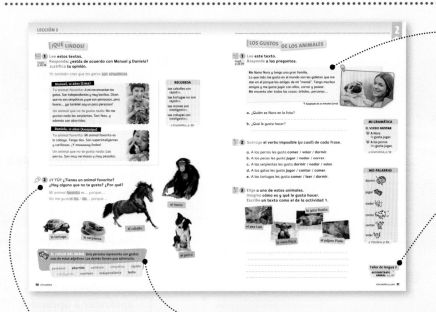

Documentos muy variados (vídeos, textos, fotografías, dibujos, carteles...), a menudo reales y siempre motivadores.

Talleres de lengua. Al final de cada lección, se propone una **tarea** que estimula la creatividad y la imaginación de los estudiantes, que ponen en práctica todo lo que han aprendido de **forma cooperativa**, en un **contexto real** y con el objetivo de crear un **producto final**.

¿Y tú? Actividades que convierten el universo del **estudiante** en el **centro del aprendizaje**.

Juegos para aprender de manera **lúdica y cooperativa**.

MI GRAMÁTICA

Esquemas, explicaciones y ejemplos para cada tema gramatical de la unidad.

Esta sección se identifica por el **color verde**.

Numerosas **actividades** que ayudan a apropiarse de las reglas gramaticales.

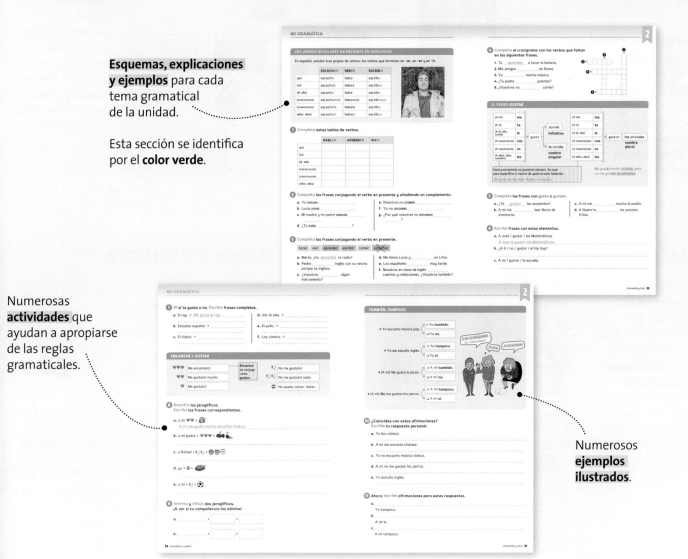

Numerosos **ejemplos ilustrados**.

MIS PALABRAS

Un divertido **mapa mental ilustrado** recoge las palabras más importantes de la unidad.

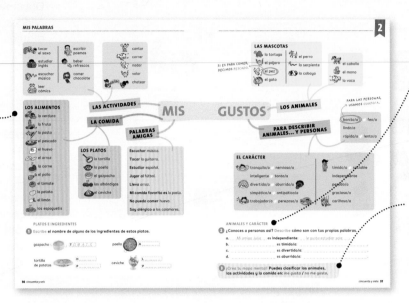

Actividades significativas que ayudan a adquirir el vocabulario de la unidad.

¡Crea tu mapa mental! Una propuesta para adaptar el mapa mental a las necesidades y a los intereses de los alumnos, y desarrollar la **autonomía** y la **competencia para aprender a aprender**.

LA VENTANA

Un interesante **reportaje** con el que los alumnos aprenden más sobre la **cultura** de la ciudad o el país de la unidad.

Un **vídeo** sobre algún **aspecto cultural** de interés del país o de la ciudad del reportero.

Actividades de **comprensión escrita** y **comprensión audiovisual**.

¡Eres periodista! Una propuesta de **minitarea individual** para hacer investigaciones guiadas en internet y crear artículos cortos, vídeos, entrevistas, etc., y convertirse en reportero.

SOMOS CIUDADANOS

Al final de cada unidad, los **reporteros**, **en versión cómic**, se enfrentan a diferentes situaciones que los llevan a **reflexionar sobre cuestiones sociales y cívicas**: diversidad cultural, igualdad de género, respeto por la naturaleza, etc.

MIS TALLERES DE LENGUA

Tres tareas para **poner en práctica** lo aprendido en cada lección **con un objetivo concreto y muy motivador**.

Alternativas para llevar a cabo los talleres de las maneras más variadas (utilizando internet, ordenadores...).

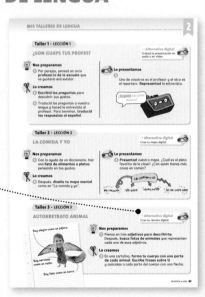

EL DOSIER ESPECIAL LA VENTANA

Dos ediciones especiales del periódico de los reporteros que tratan sobre las **fiestas y tradiciones** de diferentes lugares de España y Latinoamérica.

Con **actividades** de comprensión escrita y una propuesta de ¡**Eres periodista!**

EL DOSIER JUEGOS

Tres divertidos **juegos** para practicar los contenidos de las unidades.

EL DOSIER TALLER DE TEATRO

¡**Hacemos teatro! Actividades** para desarrollar la creatividad y aprender **técnicas de interpretación** para representar las escenas de la manera más efectiva y divertida.

Una divertida **pieza literaria** dividida en tres actos para acercar al estudiante al **género teatral**.

EL DOSIER MIS ESTRATEGIAS DE APRENDIZAJE

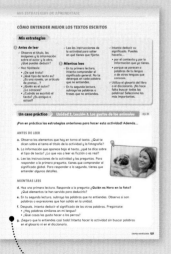

Estrategias de aprendizaje aplicadas a diferentes actividades o secciones de *Reporteros internacionales 1*.

Con un **resumen de las estrategias más importantes**, que los alumnos podrán aplicar a otras situaciones.

EL DOSIER RESUMEN GRAMATICAL

Todos los contenidos gramaticales de *Reporteros internacionales 1*.

EL DOSIER GLOSARIO

Las palabras más importantes de cada unidad traducidas al inglés, francés y portugués.

Índice

Reporteros internacionales 1

LÉXICO	CULTURA	COMPETENCIA INTERCULTURAL Y COMPETENCIA CÍVICA
• Palabras en español que ya conocemos • Los objetos de la clase	• Algunos elementos de la cultura de los países hispanohablantes	• La curiosidad por conocer culturas diferentes a la propia.
• El alfabeto • Los números del 1 al 20		**El cómic de los Reporteros:** *Un campamento internacional* Adolescentes de diferentes países se conocen y aprenden a convivir juntos en un campamento.
• Los datos personales • Los países, las nacionalidades y las lenguas • Los meses • Las estaciones del año • Los números del 21 al 31	• La ciudad de Madrid • Las lenguas de España • Dos héroes del mundo hispano: el Zorro y don Quijote **Vídeo (reportaje):** *¿De dónde eres?* Laura investiga el origen de algunos madrileños.	• Las canciones de cumpleaños • Las lenguas de España **El cómic de los Reporteros:** Dos nuevos alumnos llegan a la clase de Laura.
• Actividades habituales • Los alimentos (1) • Los animales • El carácter	• La ciudad de Lima • La cocina española y la cocina peruana • Los animales del Perú **Vídeo (reportaje):** *Chikireporteros* Adolescentes peruanos se convierten en periodistas.	• Las costumbres alimentarias de la clase **El cómic de los Reporteros:** Lucía encuentra un perro abandonado.

LÉXICO	CULTURA	COMPETENCIA INTERCULTURAL Y COMPETENCIA CÍVICA
• La familia • La descripción física y las partes del cuerpo • Las partes de la casa y los muebles • Los colores	• La ciudad de Valencia • El Oceanogràfic de Valencia • Una serie colombiana: *Chica vampiro* • Joaquín Sorolla: un pintor valenciano **Vídeos (reportajes):** *¡Esta es mi familia!* Óscar presenta a su familia en su videoblog. *Ártico* El Oceanogràfic de Valencia nos presenta su departamento del Ártico.	• Los apellidos en España y en el mundo **El cómic de los Reporteros:** Óscar conoce a una familia que se organiza en casa de una forma diferente. 
• Las actividades cotidianas • Las partes del día • Los días de la semana • Las asignaturas • Las actividades extraescolares y las aficiones • Los alimentos (2) • Las comidas del día: **desayuno, comida**...	• La ciudad de Veracruz • La escuela de niños voladores • El Fandango • Los horarios españoles **Vídeo (videoblog):** *¿Qué haces en tu tiempo libre?* Estudiantes mexicanos hablan sobre sus aficiones.	**El cómic de los Reporteros:** Ximena y sus amigos conocen a algunos ancianos. 
• Las tiendas • Los lugares públicos: **biblioteca, museo**... • Adjetivos para describir un lugar: **bonito/a, tranquilo/a**... • Los números del 32 al 99 • Las normas de convivencia • Los medios de transporte	• La ciudad de Pontevedra • Los quioscos en España • «Metrominuto»: un mapa para recorrer Pontevedra • El Camino de Santiago **Vídeo (reportaje):** *Pontevedra, una ciudad para las personas* Reportaje televisivo sobre el centro peatonal de Pontevedra.	• Los pueblos y aldeas en España **El cómic de los Reporteros:** Brais y sus amigos buscan soluciones para mejorar la accesibilidad a lugares públicos. 

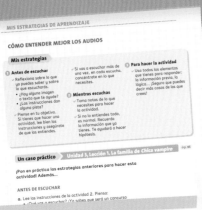

Primer contacto

1 ¿Sabes qué representan estas imágenes?

| una paella | *i* | los Pirineos | | una llama | | unos tacos | | unas tapas | |
| la salsa | | Shakira | | el flamenco | | don Quijote | | Messi | |

¿CÓMO SUENA EL ESPAÑOL?

1 Escucha **hablar a estas seis personas.**
Marca con una X las personas que hablan en español.

pistas
1•6

1 ☐ **2** ☐ **3** ☐ **4** ☐ **5** ☐ **6** ☐

2 Marca **cómo suena para ti el español.**

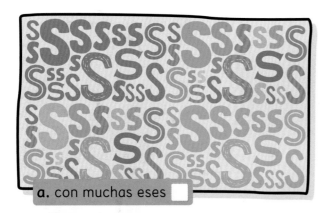

a. con muchas eses ☐

b. rápido ☐

c. muy alto ☐

d. alegre ☐

¡YA SABES UN POCO!

1 En parejas, mirad la nube de palabras. ¿Cuáles conocéis?

....
....
....
....
....
....

lindo DESPACITO
VAMOS A LA PLAYA
fiesta SIESTA
muy bueno tango argentino
hola
HASTA LA VISTA REGUETÓN
SEÑORITA JAMÓN tacos
PAELLA
adiós

OBJETOS DE LA CLASE

1 Mira la página durante 20 segundos y cierra el libro.
El/la profesor/a enseñará un objeto. ¿Sabes cómo se dice en español?

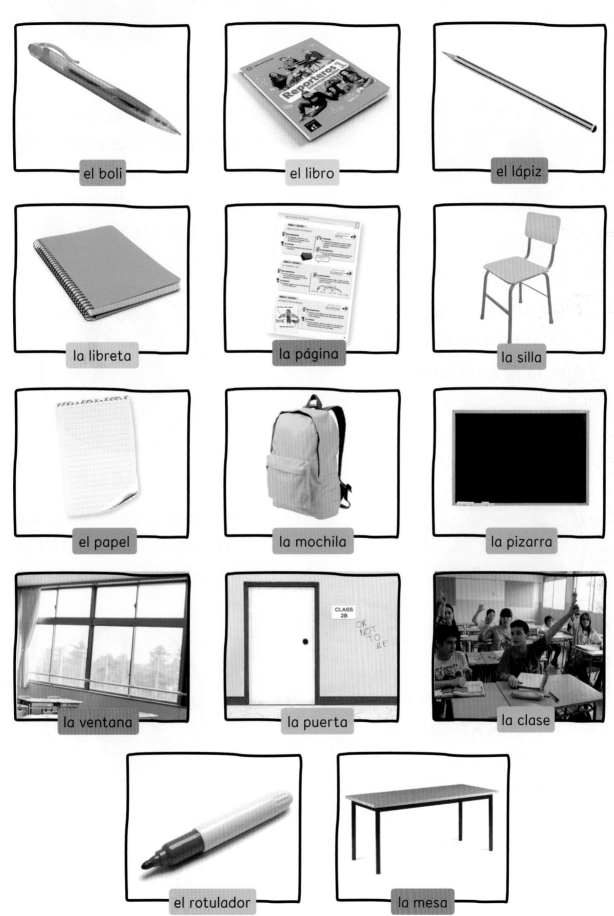

el boli

el libro

el lápiz

la libreta

la página

la silla

el papel

la mochila

la pizarra

la ventana

la puerta

la clase

el rotulador

la mesa

LOS REPORTEROS

ÓSCAR

ES ESPAÑOL Y VIVE EN VALENCIA.
LE GUSTA GRABAR VÍDEOS
Y TIENE UN VIDEOBLOG.
LE GUSTAN EL DEPORTE
Y LOS ANIMALES.

LAURA

ES ESPAÑOLA. VIVE EN MADRID.
LE GUSTA LA RADIO.
JUEGA AL BALONCESTO
Y DIBUJA MUY BIEN.

XIMENA

ES MEXICANA. VIVE EN VERACRUZ.
LE GUSTAN EL DEPORTE Y LA
TECNOLOGÍA. TIENE UN PERRO.

LUCÍA

ES PERUANA. VIVE EN LIMA.
ESCRIBE POESÍA. TOCA EL SAXO
Y LE GUSTAN LOS
CÓMICS Y LOS ANIMALES.

BRAIS

ES ESPAÑOL Y VIVE EN PONTEVEDRA.
LE GUSTA LEER, ESCRIBIR
Y EL PERIODISMO.

SALUDS

pistas
13 • 17

¡BUENOS DÍAS!

¡BUENAS TARDES!

¡BUENAS NOCHES!

PRESENTACIONES

pistas
18 • 20

1 Cada uno se inventa una identidad.
En parejas, saludamos y nos presentamos.

DELETREAR

pistas 21 • 22

pista 23

1 **Escucha la canción del alfabeto. En grupos, inventad una coreografía.**

2 **En parejas, uno/a deletrea el nombre y el apellido de alguien de la clase y el otro/a lo escribe.**

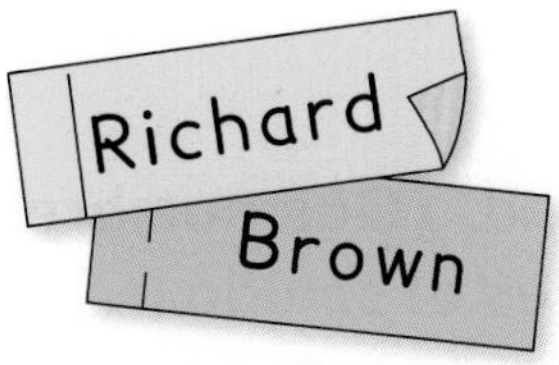

EL ALFABETO

A a de **ala**
B be de **balcón**
C ce de **casa**
D de de **dado**
E e de **elefante**
F efe de **foca**
G ge de **gato**
H hache de **hospital**
I i de **iguana**
J jota de **jirafa**
K ca de **koala**
L ele de **luna**
M eme de **mano**
N ene de **nieve**
Ñ eñe de **montaña**
O o de **oso**
P pe de **pez**
Q cu de **química**
R erre de **rosa**
S ese de **sol**
T te de **teléfono**
U u de **uva**
V uve de **volcán**
W uve doble de **web** WWW.
X equis de **xilófono**
Y ye de **yogur**
Z zeta de **zoológico**

ORTOGRAFÍA Y PRONUNCIACIÓN

 1
pista 24

Escucha al monitor y **mira** la pizarra. ¿Qué nombres no dice?

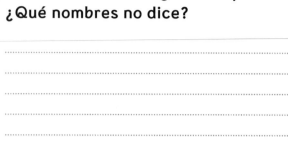

AINARA · LUCÍA · JORGE
GUILLERMO · YAGO · GUSTAVO
CECILIA · GEMA · ZOE
ÓSCAR · QUIQUE · LUCAS
ROSA · TARIQ

....
....
....
....
....

LA R

Sonido [ɾ] (suave)

- vocal + r + vocal ⟶ **hora**
- al final de la sílaba ⟶ **ver-de**
- al final de la palabra ⟶ **amar**
- después de consonante ⟶ **príncipe**

Sonido [r] (fuerte)

- al inicio de la palabra → **ratón**
- después de **n, l** o **s** ⟶ **Enrique, alrededor, Israel**
- r doble (rr) ⟶ **perro, tierra**

2
pista 25

Escucha. ¿Qué nombres tienen el sonido [r] como peruano y cuáles el sonido [rr] como perro?

Clara [X] [rr]   Guillermo [r] [rr]   Óscar [r] [rr]   Rosa [r] [rr]   Ramón [r] [rr]

LA G Y LA J

Sonido [g] (suave)

- G + → A → **g**ato
      → O → **g**oma
      → U → **g**uante

- G + U + → E → **g**u**e**rra
           → I → **g**u**i**tarra

En **gue, gui,** la **u** no se pronuncia.

Sonido [x] (fuerte)

- J + → A → **j**amón
      → E → **j**eroglífico
      → I → **j**irafa
      → O → **j**ota
      → U → **j**uego

- G + → E → **g**ente
      → I → **g**igante

3
pista 26

¿Suena como gato (azul) o como gente (rojo)?
Escucha y subraya con estos colores.

Mi**g**uel   **G**ema   Ya**g**o   **G**ustavo   **J**orge   **J**ulio

4
pista 27

Escucha y escribe estos nombres en tu cuaderno.

LA **C** Y LA **Q**

Sonido [k]

- C +
  - A → **c**asa
  - O → **c**osa
  - U → **c**ubo

- Q + U +
  - E → **qu**eso
  - I → **qu**into

La **q** se usa solo con **u** + **e** o **u** + **i**. La **u** no se pronuncia.

5 Escucha **y** escribe **los nombres.**

pista 28

Raquel,

LA **Z**, LA **C** Y LA **S**

Sonido [s]

- S +
  - A → **s**al
  - E → **s**eda
  - I → **s**í
  - O → **s**ol
  - U → **s**uma

Sonido [s] o [θ]

- Z +
  - A → **z**apato
  - O → **z**oológico
  - U → a**z**úcar

- C +
  - E → **c**ena
  - I → **c**ine

La mayoría de los españoles pronuncia el sonido [θ], pero este sonido no existe en ningún país de América Latina ni en ciertas regiones de España, como las Canarias y lugares de Andalucía.

6 Escucha **y** escribe **los nombres.**

pista 29

Lucía,

LA **CH**, LA **LL** Y LA **Ñ**

- El grupo **CH** se pronuncia → **ch**aqueta, **ch**ico

- El grupo **LL** se pronuncia como la y → e**ll**a, **ll**uvia

- La letra **Ñ** se pronuncia → pi**ñ**a, ni**ñ**o

7 Escucha **y** escribe **las palabras.**

pista 30

Llave,

LA ENTONACIÓN Y LAS SÍLABAS TÓNICAS

VIÑETA A

VIÑETA B

VIÑETA C

1 Escucha y relaciona los diálogos con las viñetas.

pistas
31 • 33

Diálogo 1 → viñeta ☐

Diálogo 2 → viñeta ☐

Diálogo 3 → viñeta ☐

2 En parejas, representamos los diálogos. Presta atención a la entonación y haz gestos para interpretarlos mejor.

3 Escucha estas frases y escribe los signos ¡!, ¿? o un punto (.) si es necesario.

pistas
34 • 39

a. ● ¡Hola!
   ○ Hola

b. Eres alemana

c. Luc es francés

d. Atención, una foto

e. De dónde sois vosotros

f. Ella es española, de Sevilla
   Yo soy peruano, de Lima

> **¡OJO!**
>
> En español, se escribe signo de interrogación (¿?) al principio y al final de cada pregunta y signo de exclamación (¡!) al principio y al final de cada frase exclamativa.

4 Escucha estas palabras. ¿Cuál es la sílaba tónica?

pista
40

a. cam/pa/men/to
   ☐ ☐ ✕ ☐

b. Va/len/cia

c. es/pa/ñol

d. ho/la

e. fo/to

f. fran/cés

g. Má/la/ga

h. Pon/te/ve/dra

> **¡OJO!**
>
> En español, el **acento gráfico** indica cuál es la **sílaba tónica**. Pero, ¡cuidado!, no todas las sílabas tónicas llevan tilde.

LOS NÚMEROS

pistas
41·42

 1 Escucha **la canción de los números y** cántala.

pista
43

 2 En grupos, **nos preguntamos** la edad.

- *¿Cuántos años tienes?*

 3 Escribe **el resultado en letras.**

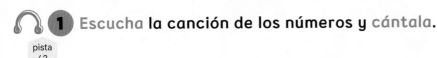

a. ocho + tres = *once*   **d.** siete − uno = _____

b. cinco + cuatro = _____   **e.** once − nueve = _____

c. dos + diez = _____   **f.** trece − seis = _____

LOS NÚMEROS

1 UNO	**6** SEIS	**11** ONCE	**16** DIECISÉIS
2 DOS	**7** SIETE	**12** DOCE	**17** DIECISIETE
3 TRES	**8** OCHO	**13** TRECE	**18** DIECIOCHO
4 CUATRO	**9** NUEVE	**14** CATORCE	**19** DIECINUEVE
5 CINCO	**10** DIEZ	**15** QUINCE	**20** VEINTE

DESPEDIDAS

pistas
50 • 55

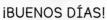

¡BUENOS DÍAS!   ¡BUENAS TARDES!   ¡BUENAS NOCHES!

Chao es una forma muy común de decir **adiós** en español.

MIS PALABRAS

mañana

luego

pronto

1 **Escribe** una frase para cada viñeta.
Puede ser un saludo, una presentación o una despedida.

UNIDAD 1
Mis amigos y yo

↑ Plaza Mayor, Madrid

LECCIÓN 1

Hablo de... informaciones básicas personales.

- Los datos personales
- El presente de indicativo de **llamarse**, **ser** y **tener** en singular
- Las frases negativas
- Los interrogativos

Taller de lengua 1 Creamos un álbum de presentaciones de los estudiantes de la clase.

LECCIÓN 2

Hablo de... los cumpleaños y otras fechas importantes.

- Los meses y las estaciones
- Los números (2)
- Los artículos determinados e indeterminados

Taller de lengua 2 Creamos un calendario de fechas importantes y de los aniversarios de la clase.

LECCIÓN 3

Hablo de... países, nacionalidades y lenguas.

- Los países, las nacionalidades y las lenguas
- El presente de indicativo de **hablar**, **llamarse**, **ser** y **tener** en 3.ª pers. del plural
- El género y el número (1)

Taller de lengua 3 Hacemos un estudio sobre las lenguas habladas por los estudiantes de la clase.

LA VENTANA
~PERIÓDICO DIGITAL~
Dos héroes hispanohablantes: don Quijote y el Zorro.

SOMOS CIUDADANOS
Dos nuevos estudiantes llegan a la clase de Laura.

¡HOLA!

En esta unidad nos habla Laura desde Madrid (España).

Madrid
España

Laura
¡Hola, chicos! Tengo una amiga nueva. Se llama Adelaida y es de México.
18:03 

Brais
¡Qué guapa! 😍
18:04

Ximena
Pues yo tengo un profesor nuevo muy simpático. Es de Madrid, como tú. 😂
19:30

Laura
¿Cómo se llama?
19:45

Ximena
Rodrigo Rodríguez Rodríguez. 😄
19:47

Brais
😂 😂 😂 😂
20:49

¡EN MARCHA!

1 Lee los mensajes.
Marca la opción correcta.

Adelaida...

es una ☐ amiga / una ☐ profesora de Laura.

es ☐ mexicana / ☐ española .

Rodrigo...

es un ☐ amigo / un ☐ profesor de Ximena.

es ☐ mexicano / ☐ español .

Rodrigo Rodríguez Rodríguez

¿SABES QUE...?

Madrid es la capital de España y es la ciudad con más población de este país.

¿CUÁL ES TU NÚMERO DE MÓVIL?

1 **Lee las fichas y di a quién se refieren estas frases.**

a. Es de Alcorcón. *Álvaro*

b. Su padre se llama Faustino.
....

c. Tiene 13 años. ....

d. Su número de DNI es el 87965241-O. ....

¿SABES QUE...?

En España el DNI es el **documento** nacional de identidad.

● **Solicitud de inscripción** · Campamentos de verano **Las Cabañas**

DATOS DEL PARTICIPANTE

Nombre: Maya   **Apellidos:** Ruiz Martín   **Edad:** 12 años

Localidad: Madrid   **País:** España

DATOS DEL RESPONSABLE (padre, madre o tutor/a legal)

Nombre: Faustino   **Apellidos:** Ruiz Pérez   **DNI:** 40561495-P

Teléfonos de contacto.   **Fijo:** 912 144 557   **Móvil:** 658 963 258

Correo electrónico: faustinoR@gmail.es

● **Solicitud de inscripción** · Campamentos de verano **Las Cabañas**

DATOS DEL PARTICIPANTE

Nombre: Álvaro   **Apellidos:** Romero Rivas   **Edad:** 13 años

Localidad: Alcorcón   **País:** España

DATOS DEL RESPONSABLE (padre, madre o tutor/a legal)

Nombre: Carmela   **Apellidos:** Romero Rivas   **DNI:** 87965241-O

Teléfonos de contacto.   **Fijo:** 914 587 321   **Móvil:** 679 562 389

Correo electrónico: carmelita73@gmail.es

MIS PALABRAS

correo electrónico = email

arroba = @

← Solicitud de inscripción a los campamentos de verano del camping Las Cabañas, de Martín del Río, Teruel (2014)

2 **Contesta a estas preguntas.**

Cuad. p. 4

a. ¿Cómo se llama la madre de Álvaro? *Carmela.*

b. ¿Cuántos años tiene Maya? ....

c. ¿De dónde es Maya? ....

d. ¿Cuál es el número de móvil de Carmela? ....

3 **Completa estas preguntas sobre las fichas y pregunta a un compañero.**

Cuad. p. 4

a. ¿ .... se llama .... ?

b. ¿ .... tiene .... ?

c. ¿ .... es .... ?

MI GRAMÁTICA

LLAMARSE

(yo)	me llamo
(él, ella)	se llama

TENER

(yo)	tengo
(él, ella)	tiene

SER

(yo)	soy
(él, ella)	es

⟶ Gramática, p. 34

⟶ Cuaderno, p. 4, 5

4 **Escucha y relaciona los números de teléfono con los chicos y chicas del campamento.**

pista 56

a. Maya Ruiz   b. Antonio Rozas   c. Elisa Álvarez

☐ 627 532 833   ☐ 678 521 477   ☐ 652 262 554

NOS PRESENTAMOS

1 Lee la información sobre Lorena y completa su ficha.

Cuad.
p. 5

Me llamo Lorena Campos Jiménez y tengo 14 años. Soy de León, una pequeña ciudad española.

Mi madre se llama Mercedes y mi padre se llama Andrés.

El número de teléfono de mi casa es el 987 773 210.

● **Solicitud de inscripción** · Campamentos de verano **Las Cabañas**

DATOS DEL PARTICIPANTE

Nombre: **Apellidos:**   **Edad:**

Localidad: **País:**

DATOS DEL RESPONSABLE (padre, madre o tutor/a legal)

Nombre: **Apellidos:** Jiménez   **DNI:** 79351264-H

Teléfonos de contacto. Fijo: **Móvil:** 687 952 321

Correo electrónico: m.jimenez@gmail.es

2 Escribe información sobre ti.
Preséntate a tus compañeros/as en español.

Me llamo...

 EL JUEGO DEL TELÉFONO LOCO. Inventa un personaje y escribe la respuesta a estas preguntas: ¿cómo se llama? ¿Cuántos años tiene? ¿De dónde es?
Nos colocamos en círculo. Un estudiante dice en voz baja a su compañero la información sobre su personaje, este se lo dice a otro alumno/a, y así hasta completar el círculo. El último dice en voz alta la frase que ha entendido. ¿La información es correcta?

Taller de lengua 1
EL ÁLBUM DE LA CLASE → p. 43

¡FELIZ CUMPLEAÑOS!

1 Escucha **cómo se dicen los meses en español y** repite.

pista 57

ENERO	FEBRERO	MARZO
ABRIL	MAYO	JUNIO
JULIO	AGOSTO	SEPTIEMBRE
OCTUBRE	NOVIEMBRE	DICIEMBRE

¿SABES QUE...?
En español los meses del año se escriben en minúscula.

EL JUEGO DE LOS MESES. Organizamos la clase en grupos. Por turnos, cada vez un equipo se levanta, repite la serie que escucha y se sienta, y así sucesivamente hasta completar todos los meses. ¡Tenéis que estar muy atentos y ser rápidos!

pista 58

Enero, febrero, marzo, abril.

¡¡Enero, febrero, marzo, abril!!

2 Mira **las fechas del calendario de Laura.**
En parejas, di una fecha y tu compañero/a tiene que responder qué pasa ese día.

Cuad. p. 6

• *El once de junio.*

○ *Es el cumpleaños del papá de Laura.*

¡OJO!

el veinte de enero

CUMPLEAÑOS Y OTROS DÍAS IMPORTANTES

ENERO	FEBRERO	MARZO
6: ¡Día de Reyes!	20: Cumple de Brais	15: Cumple de Lucía 24, 25, 26, 27 y 28: ¡Vacaciones!
ABRIL	MAYO	JUNIO
	6: ¡¡MI CUMPLE!!	11: Cumple de papá
JULIO	AGOSTO	SEPTIEMBRE
28: Cumple de Óscar		26: Cumple de Ximena
OCTUBRE	NOVIEMBRE	DICIEMBRE
12: ¡Día festivo!	25: Cumple de mamá	6 y 8: ¡Días festivos! 25: Navidad

COMPARTIMOS EL MUNDO

pista 59 ①

Vas a escuchar dos canciones de cumpleaños en español muy populares. Apréndelas y cántalas en los cumpleaños.

FELIZ, FELIZ EN TU DÍA...

CUMPLEAÑOS FELIZ, CUMPLEAÑOS FELIZ...

LAS CUATRO ESTACIONES

 1 Mira el gráfico sobre las estaciones del año.
Di la duración de cada estación en el hemisferio norte.

Cuad. p. 7

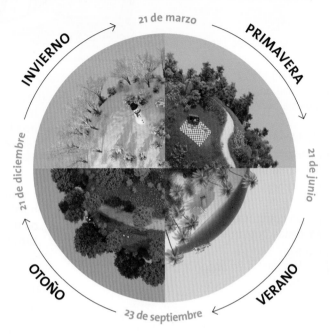

21 de marzo

INVIERNO · PRIMAVERA · VERANO · OTOÑO

21 de diciembre · 21 de junio · 23 de septiembre

La primavera es del 21 de marzo al...

 EL JUEGO DE LAS ESTACIONES. En parejas, uno está en Madrid y el otro, en Buenos Aires. Por turnos, uno/a dice en qué estación está y su compañero/a dice la correspondiente del país donde se encuentra. ¡Podéis ir cambiando de países! Pero, ojo, tenéis que estar siempre en diferente hemisferio.

En Madrid es otoño.

En Buenos Aires es...

¿SABES QUE...?

En el hemisferio sur el verano empieza el 22 de diciembre y el invierno el 21 de junio.

¡OJO!

del 21 de marzo al 21 de junio.

MI GRAMÁTICA

LAS CONTRACCIONES

de + el = **del**

a + el = **al**

2 ¿Con qué estaciones relacionas estas fotos? Escríbelo.

....

....

....

....

....

....

Taller de lengua 2

EL CALENDARIO DE LA CLASE → p. 43

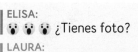 **¿DE DÓNDE ERES?**

Cuad. p. 8-10

1 Lee **el chat de Laura con una amiga.**
Subraya **las nacionalidades que aparecen.**
Escribe **a qué países corresponden.**

LAURA:
¡Hola, Elisa! 😃

ELISA:
¡Laura! ¿Qué tal el campamento?

LAURA:
¡Genial! 🔊

ELISA:
¿Sois todos <u>españoles</u>?

LAURA:
No, ¡somos de todo el mundo!
Hannah y Lena son alemanas,
Nathalie es francesa, Nabil es
marroquí, Gustavo y Catalina son
argentinos, Florin es rumano…

ELISA:
¡Qué guay!

LAURA:
Ah, y Luca, es italiano…
😍 😍 😍 😍

ELISA:
😲 😲 😲 ¿Tienes foto?

LAURA:
¡¡Noooo!! 😊
Y mi mejor amiga se llama Ainara
y es de San Sebastián.

ELISA:
¿Habla vasco?

LAURA:
Sí, español y vasco. Y Lucía es
otra amiga. Es peruana, de Lima.

ELISA:
¡Es un campamento internacional!
¿Y todos hablan español?

LAURA:
¡Sí! Hablamos en español y en
inglés. 😌

ELISA:
¡Qué bien!

España   Marruecos   Argentina   Italia   Perú   Francia   Rumanía   Alemania

españoles → España

_____

_____

MI GRAMÁTICA

(nosotros/as)
habl**amos**
nos llam**amos**
ten**emos**
somos

(vosotros/as)
habl**áis**
os llam**áis**
ten**éis**
sois

(ellos, ellas)
habl**an**
se llam**an**
tien**en**
son

⟶ Gramática, p. **34**
⟶ Cuaderno, p. **8-10**

2 Completa **estas frases.**

a. Catalina es _____

b. Luca es _____

c. Hannah es _____

d. Nathalie es _____

e. Nabil es _____

f. Florin es _____

MI GRAMÁTICA

NACIONALIDADES

MASCULINO	FEMENINO
italiano	italiana
español	española
francés	francesa
alemán	alemana
marroquí	marroquí

⟶ Gramática, p. **36**
⟶ Cuaderno, p. **8-10**

3 **¿Cuáles son los orígenes de vuestros padres?**
Comentadlo.

Mi madre es de origen albanés y mi padre es italiano.

MI GRAMÁTICA

SER

(tú)   eres

⟶ Gramática, p. **34**
⟶ Cuaderno, p. **10, 11**

EL PIMPÓN DE LAS NACIONALIDADES. Un/a compañero/a
le dice a otro/a de qué país es (inventado) y le tira una pelota.
Quien la recibe dice su nacionalidad, teniendo en cuenta si es
chico o chica.

Eres de Portugal.
¡Soy portuguesa!

¿QUÉ IDIOMAS HABLAS?

1 **Di** dónde hablan estos idiomas.

Cuad. p. 8

catalán

vasco

gallego

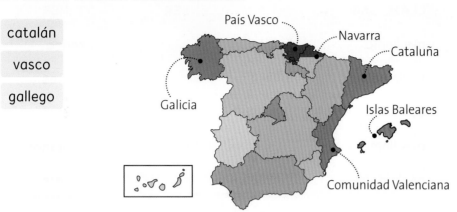

País Vasco

Navarra

Cataluña

Galicia

Islas Baleares

Comunidad Valenciana

En Galicia hablan gallego.

¿SABES QUE...?

El español también se llama castellano.

El catalán, el gallego y el vasco son lenguas cooficiales en las comunidades autónomas donde se hablan.

2 **Estas personas están en sus ciudades.** Preséntalos. **¿Cuántos años crees que tienen?**

Théo, París

Yelena, San Petersburgo

Nigel, Londres

Daiane, São Paulo

Théo es francés, de París. Habla francés. Tiene catorce años.

3 **Tenéis compañeros nuevos en clase.** Escribid **un diálogo con estos elementos y** representadlo. **Podéis consultar la unidad 0.**

ser   tener   llamarse   hablar

● *Hola, ¿cómo os llamáis?*

○ *Somos Mihail y Natacha.*

COMPARTIMOS EL MUNDO

◯ ¿En tu país hay varias lenguas oficiales? ¿Cuáles son? ¿En qué regiones o zonas del país se hablan?

4 **Lee** la presentación de Laura. **Escribe** en tu cuaderno un comentario para su blog.

← → ↻   ⌂ ≡

Sobre mí

Me llamo Laura y soy de Madrid. Tengo 13 años. Hablo español, un poco de inglés y también italiano, porque mi madre es de Roma. Mi mejor amiga se llama Ainara y vive en San Sebastián. Ella habla español, inglés y vasco, que es ¡superdifícil!

Y vosotros, ¿cómo os llamáis?, ¿qué lenguas habláis?

Taller de lengua 3

LAS LENGUAS DE LA CLASE → p. 43

EL PRESENTE DE LOS VERBOS **HABLAR, LLAMARSE, SER** Y **TENER**

	HABLAR	LLAMARSE
(yo)	hablo	**me** llamo
(tú)	hablas	**te** llamas
(él, ella)	habla	**se** llama
(nosotros/as)	hablamos	**nos** llamamos
(vosotros/as)	habláis	**os** llamáis
(ellos, ellas)	hablan	**se** llaman

	SER	TENER
(yo)	soy	tengo
(tú)	eres	tienes
(él, ella)	es	tiene
(nosotros/as)	somos	tenemos
(vosotros/as)	sois	tenéis
(ellos, ellas)	son	tienen

Llamarse es un verbo reflexivo. Para conjugarlo, colocamos pronombres (**me**, **te**, **se**...) delante de la forma verbal.

Para formar frases negativas, ponemos **no** delante del verbo.
- ¿Eres alemán?
- No tengo 13 años, tengo 14.
- No, no soy alemán.

1 Completa **estas tablas de verbos.**

	ESTUDIAR	ESCUCHAR
(yo)		
(tú)		
(él, ella)		
(nosotros/as)		
(vosotros/as)		
(ellos, ellas)		

2 Indica **a qué persona se refieren estas frases.**

yo   tú   Lucas   Lucia y yo   Teresa y tú   Maite y Teresa

a. ¿Eres argentino? → _tú_

b. Somos italianas. → ....

c. Son mis amigas del cole. → ....

d. Tengo 11 años. → ....

e. Tenéis muchos amigos. → ....

f. Tiene un blog. → ....

3 Conjuga **los verbos entre paréntesis y** completa **las frases.**

a. ¿Los amigos de Laura (HABLAR) _hablan_ _español_ ?

b. Barbara y Lea (SER) _____ _____.

c. Juan (SER) _____ .

d. ¿Cómo (LLAMARSE) _____ _____?

e. ¿Vosotros (SER) _____ _____?

f. ¿Tú y tu madre (HABLAR) _____ _____?

g. Marta (TENER) _____ _____.

LOS ARTÍCULOS

Los artículos determinados

	singular		plural
masculino	→ el amigo	→	los amigos
femenino	→ la amiga	→	las amigas

Los artículos indeterminados

	singular		plural
masculino	→ un amigo	→	unos amigos
femenino	→ una amiga	→	unas amigas

4 Escribe **el, la, los** o **las.**

a. _____ campamento

b. _____ madre

c. _____ nombres

d. _____ país

e. _____ profesora

f. _____ chicos

g. _____ lenguas

h. _____ estaciones

i. _____ amigo

j. _____ años

k. _____ fecha

l. _____ primavera

5 Escribe **un, una, unos** o **unas.**

a. Juan es _____ amigo peruano de Mario.

b. Luc y Pierre son _____ chicos franceses.

c. Ana tiene _____ profesor belga.

d. Tienes _____ profesores muy buenos.

e. Salamanca es _____ ciudad española.

f. Andalucía es _____ región de España.

g. Elena tiene _____ gato.

EL GÉNERO DE LOS NOMBRES Y LOS ADJETIVOS

Terminación en...

-o masculino		-a femenino
chico	→	chica
bueno	→	buena

Terminación en...

-e masculino		-e femenino
estudiante	→	estudiante
canadiense	→	canadiense

Terminación en... consonante

masculino		-a femenino
profesor	→	profesora
español	→	española
inglés	→	inglesa
alemán	→	alemana

6 Escribe **el femenino.**

a. un profesor alemán: ....

b. un estudiante francés: ....

c. un chico argentino: ....

d. un alumno canadiense: ....

e. un amigo brasileño: ....

7 Completa **las palabras con las letras que faltan.**

a. Mi profesor es ruman......

b. Paul es un chic...... estadounidens......

c. Mi madre es italian......

d. Andrés tiene un amig...... rus......

EL NÚMERO DE LOS NOMBRES Y LOS ADJETIVOS

Terminación en... vocal

singular		+ s plural
chico	→	chicos
chica	→	chicas
estudiante	→	estudiantes

Terminación en... consonante

singular		+ es plural
profesor	→	profesores
español	→	españoles
inglés	→	ingleses
alemán	→	alemanes

8 Completa **con el singular o el plural como en el ejemplo.**

	singular	plural
a. el chico	✓	*los chicos*
b. una amiga		
c. la nacionalidad		
d. unos profesores		
e. los países		
f. la ciudad		
g. unos portugueses		

LOS INTERROGATIVOS

Todos los interrogativos se escriben siempre con tilde (´).
Además, en español ponemos un signo de interrogación al principio y al final de la pregunta.

cómo	→ ¿Cómo te llamas?
dónde	→ ¿De dónde eres?
qué	→ ¿Qué quiere decir "periódico"?
cuándo	→ ¿Cuándo es tu cumpleaños?
cuánto/a/os/as	→ ¿Cuántos años tienes?
cuál/es	→ ¿Cuál es tu número de teléfono?
quién/es	→ ¿Quién es Laura? ¿Quiénes son estas chicas?

> **Cuánto/a/os/as**, **cuál/es** y **quién/es** concuerdan con el nombre.

9 Relaciona **las preguntas con las respuestas.**

a. ¿Quiénes son?

b. ¿De dónde es tu amiga?

c. ¿Qué es esto?

d. ¿Cómo se llama tu madre?

e. ¿Cuándo es el campamento?

• Teresa.

• Es un calendario.

• En verano, del 1 al 10 de julio.

• Mis amigos del colegio.

• Es italiana.

10 Completa **las preguntas con un interrogativo.**

a. ● ¿_____ años tienes?
  ○ 13.

b. ● ¿_____ se llaman los amigos de Ana?
  ○ Raquel y Javier.

c. ● ¿De _____ sois?
  ○ De Madrid.

d. ● ¿_____ son Lena y Nabil?
  ○ Son unos amigos del campamento de verano.

e. ● ¿_____ idiomas hablas?
  ○ Árabe y francés.

f. ● ¿_____ es tu estación preferida?
  ○ La primavera.

▮	Italia → italiano/a	▮	España → español/a
▮	Perú → peruano/a	◉	Brasil → brasileño/a
▬	Argentina → argentino/a	▬	Alemania → alemán/ana
▮	Rumanía → rumano/a	●	Portugal → portugués/esa
★	Marruecos → marroquí	▮	Francia → francés/esa

LOS PAÍSES Y LAS NACIONALIDADES

MIS AMIGOS

LOS DATOS PERSONALES

PALABRAS AMIGAS

¿Cómo te llamas? ⟶ (Me llamo) María.

¿Cuántos años tienes? ⟶ (Tengo) 12 (años).

¿De dónde eres? ⟶ (Soy) mexicana.

¿Cuál es tu número de móvil? ⟶ (Mi número es el) 684...

¿Cuándo es tu cumpleaños? ⟶ (Mi cumpleaños es) el 20 de mayo.

Tengo 12 años.

Soy de León.

Hablo español.

La madre de Álvaro.

El seis **de** julio.

Del 21 **al** 24 de junio.

LOS NÚMEROS

1 Escribe **estos números en letras.**

a. 18: ....

b. 31: ....

c. 26: ....

d. 15: ....

e. 29: ....

f. 11: ....

g. 23: ....

h. 32: ....

i. 14: ....

j. 20: ....

ESTACIONES

 primavera   verano otoño invierno

LOS MESES Y LAS ESTACIONES

Y YO

MESES

ENERO	FEBRERO	MARZO
ABRIL	MAYO	JUNIO
JULIO	AGOSTO	SEPTIEMBRE
OCTUBRE	NOVIEMBRE	DICIEMBRE

LOS NÚMEROS

15 quince	**21** veintiuno	**27** veintisiete
16 dieciséis	**22** veintidós	**28** veintiocho
17 diecisiete	**23** veintitrés	**29** veintinueve
18 dieciocho	**24** veinticuatro	**30** treinta
19 diecinueve	**25** veinticinco	**31** treinta y uno
20 veinte	**26** veintiséis	**32** treinta y dos

LOS PAÍSES Y LAS NACIONALIDADES

2 Escribe **las nacionalidades en femenino.**

a. inglés [ ]

b. ruso [ ]

c. israelí [ ]

d. portugués [ ]

e. mexicano [ ]

f. paquistaní [ ]

3 ¡Crea tu mapa mental! Escribe **las palabras que te interesan de esta unidad** y añade **fotos y dibujos para ilustrar las más importantes para ti.**

LA VENTANA
~ PERIÓDICO DIGITAL ~

En este número de *La Ventana* hablamos de dos personajes de ficción hispanohablantes.

DON QUIJOTE DE LA MANCHA

1 Don Quijote de la Mancha es un personaje creado por Miguel de Cervantes. En realidad, don Quijote se llama Alonso Quijano y es un hombre mayor, alto y delgado, que lee muchos libros y confunde la fantasía con la realidad. Un día decide convertirse en caballero, vivir
5 aventuras y defender la justicia.

Don Quijote tiene un escudero que se llama Sancho Panza. Es un hombre bajito, un poco gordo y con muy buen corazón.

↑ Miguel de Cervantes
(1547-1616)

↑ *Don Quijote de la Mancha.* Serie de dibujos animados de Televisión Española (1979)

---

1 Mira **el vídeo y** relaciona.

a Laura	4	**1** Salamanca
b Vera		**2** Israel
c Saúl		**3** Barcelona
d Vanesa		**4** Madrid
e Isidro		**5** Venezuela

2 ¿**Verdadero o falso?** Corrige **la información falsa.**

a. Don Diego vive en España. V F

b. El apodo de don Diego es "el Zorro". V F

c. El apellido de Diego es Quijano. V F

d. Sancho Panza es el escudero del Zorro. V F

e. Bernardo es amigo del Zorro. V F

Por Laura,
corresponsal
desde Madrid.

VÍDEO

DVD
1

¿DE DÓNDE ERES?

Laura entrevista a varios madrileños
para conocer sus orígenes.

EL ZORRO

1 Don Diego de La Vega es un joven
que vive en California (en los actuales
Estados Unidos) en el siglo XIX, y lucha
contra las autoridades y las personas
5 que maltratan a los pobres. Su apodo
es "el Zorro". Bernardo, su amigo, lo
ayuda en sus aventuras.

¡Eres periodista!

Busca en internet otras representaciones
artísticas de don Quijote y compártelas
en clase. Completa la ficha.

Título de la obra: ....
Lugar donde se encuentra la obra:
....
Autor: ....
Nacionalidad del autor: ....

CUESTIONARIO CULTURAL
¡Demuestra cuánto sabes!

El mundo hispanohablante

→ ¿Cuál es el otro nombre
del idioma español?

→ ¿Cómo se llama el documento
de identidad español?
a. DOIDE
b. DNI
c. DOCU

→ Di cuáles son los idiomas que
se hablan en España.

→ Forma los nombres de tres
países hispanos con estas
sílabas.

co	rú	ar
na	pe	ti
mé	xi	gen

Meses y estaciones

→ Conmigo empieza el verano.
¿Qué mes soy?

→ Soy el número uno del año.
¿Qué mes soy?

Literatura

→ ¿Cómo se llama
el autor de *Don
Quijote de la
Mancha*?

1 ¿Te parecen extraños los nombres de la chica y del chico nuevos?

2 ¿Qué idiomas se hablan en Ecuador?

3 Investiga sobre la lengua quechua. ¿Cuántas personas la hablan? ¿Dónde?

1

Taller 1 · LECCIÓN 1

EL ÁLBUM DE LA CLASE

⟶ Alternativa digital
Haz una presentación digital.

Nos preparamos
1 Vas a crear **tu presentación**. Mira el ejemplo y decide qué datos quieres poner sobre ti.

Lo creamos
2 Elige varias **fotografías o dibujos** (de ti, de tu ciudad, de tu familia...) y organiza la información.

Lo presentamos
3 ¡Podéis unir las presentaciones para crear **el álbum de la clase**!

Me llamo Aurora
Mi número de teléfono móvil es el 0334566103.
Tengo 12 años.
Soy italiana.
Hablo italiano, albanés y un poco de inglés y de español.
Mi madre es italiana y mi padre es de origen albanés.

Taller 2 · LECCIÓN 2

EL CALENDARIO DE LA CLASE

⟶ Alternativa digital
Creamos un calendario web.

Nos preparamos
1 En grupos completamos un **calendario** con fechas importantes **para la clase**: días festivos, días de vacaciones, etc.

Lo creamos
2 Añadimos nuestras **fechas de cumpleaños** y las que sabemos de nuestros compañeros.

Lo presentamos
3 Uno de los grupos **escribe** todas las fechas en un calendario. ¡Mira si la fecha de tu cumpleaños es correcta!

Lo vivimos
4 Este curso, ¡**felicitamos todos los cumpleaños** en español y cantamos la canción!

Taller 3 · LECCIÓN 3

LAS LENGUAS DE LA CLASE

⟶ Alternativa digital
Haced una presentación digital.

Nos preparamos
1 En grupos, escribimos cuántas **lenguas diferentes** hablamos.

2 Luego, compartimos la información con los demás. Una persona escribe **los resultados en la pizarra**.

Lo creamos
3 A partir de la información de la pizarra, cada grupo **crea la gráfica** de "Las lenguas de la clase".

Lo comparamos
4 **Presentamos** nuestras gráficas. ¿Se parecen?

En nuestro grupo seis hablamos portugués, cuatro hablamos inglés y dos personas hablan francés.

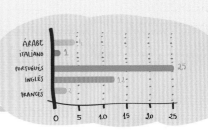

UNIDAD 2
Mis gustos

⬆ Costa Verde, Lima

LECCIÓN 1

Hablo de... lo que hago y de lo que me gusta.

- Las actividades habituales
- Los verbos regulares en presente
- Expresar gustos con **gustar** + verbo
- **También / tampoco**

Taller de lengua 1 Entrevisto a un profesor de la escuela.

LECCIÓN 2

Hablo de... lo que como.

- Los alimentos (1)
- Expresar los gustos sobre comida con **gustar** + nombre, **encantar**
- El uso de **no puedo**

Taller de lengua 2 Creo el mapa mental de mis gustos sobre la comida.

LECCIÓN 3

Hablo de... algunos animales y del carácter.

- Los animales domésticos
- La descripción del carácter y de la personalidad

Taller de lengua 3 Creo mi autorretrato animal.

LA VENTANA
~PERIÓDICO DIGITAL~

Descubro a unos jóvenes periodistas de Perú y algunos animales de este país.

SOMOS CIUDADANOS

Lucía encuentra un perro abandonado.

En esta unidad nos habla Lucía desde Lima (Perú).

Perú

América del Sur

Lucía
¡Hoy mi padre cocina ceviche! 08:54

Óscar
¿Qué es "ceviche"? ¿Es una comida típica peruana? 🇵🇪 08:55

Lucía
Sí, es pescado con limón... 🐟 + 🍋 ¡Me encanta! 🤍 08:56

Óscar
😖 ¡Huy! No me gusta el pescado. 10:40

Lucía
¿¿Noooo?? Y ¿qué te gusta? 08:56

Óscar
El tomate 🍅: ¡me encanta el gazpacho! 10:40

¡EN MARCHA!

1 Lee los mensajes.
¿A quién le gusta cada plato?

gazpacho

ceviche

A Lucía le gusta...

_____

¿SABES QUE...?

El ceviche es un plato típico de Perú. Lleva pescado crudo y jugo de limón.

El gazpacho es un plato típico español. Lleva tomate y otras verduras y se toma frío.

2 Escucha el diálogo.
Responde a estas preguntas.

pista 60

a. ¿De qué hablan?
→ De animales. ☐
→ De comida. ☐
→ De la escuela. ☐

b. ¿Cuál es el animal preferido de Lucía? _____

¿QUÉ COSAS HACE LUCÍA?

1 Lee **las frases.**
Asócialas **con cuatro objetos de la habitación de Lucía.**

Cuad.
p. 14

a. Lee cómics. _____5_____

b. Toca el saxo. _____

c. Chatea. _____

d. Come chocolate. _____

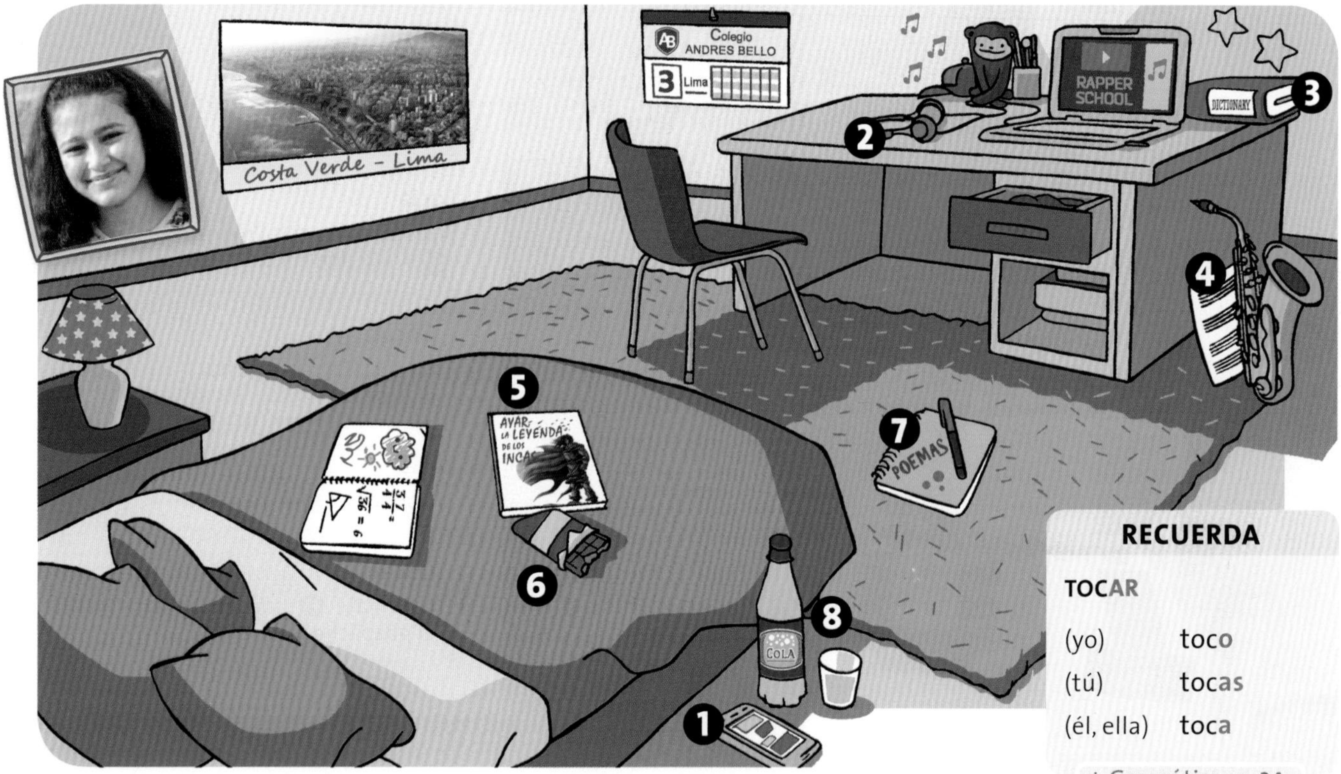

RECUERDA

TOCAR

(yo)	toco
(tú)	tocas
(él, ella)	toca

⋯⋙ Gramática, p. **34**

2 Asocia **los otros objetos a estas acciones.**
Construye **frases con los verbos en presente.**

● *Lucía escucha música.*

escuchar música [2]   escribir poemas [ ]

beber refrescos [ ]   estudiar inglés [ ]

MI GRAMÁTICA

EL PRESENTE DE INDICATIVO

BEBER

(yo)	bebo
(tú)	bebes
(él, ella)	bebe

VIVIR

(yo)	vivo
(tú)	vives
(él, ella)	vive

⋯⋙ Gramática, p. **52**
⋯⋙ Cuaderno, p. **14-16**

3 Escucha **a seis chicos que hablan de sus hábitos.**
Compáralos **con los de Lucía.**

pistas
61 • 66

Cuad.
p. 15

a. *Román no come chocolate, come fruta.* _____

b. *Santi también escucha música hip hop.* _____

c. _____

d. _____

e. _____

f. _____

4 ¿Y TÚ? **¿Qué cosas haces en tu habitación?**

¡ME GUSTA LEER!

 1 Escribe **sobre tus gustos utilizando el verbo** gustar.

Cuad.
p. 15, 17

¿TE GUSTA O NO TE GUSTA?

a **COMER CHOCOLATE**

JUGAR AL FÚTBOL **b**

ESTUDIAR **c**

TOCAR LA GUITARRA **d**

LEER CÓMICS **e**

ESCUCHAR MÚSICA **f**

CHATEAR **g**

a. ....

b. ....

c. ....

d. ....

e. ....

f. ....

g. ....

> ### MI GRAMÁTICA
>
> **EL VERBO GUSTAR**
>
> (A mí) **me gusta** estudiar.
>
> ¿(A ti) **te gusta** estudiar?
>
> (A él, ella) **le gusta** estudiar.
>
> (A nosotros/as) **nos gusta** estudiar.
>
> ---> Gramática, p. **53**
> ---> Cuaderno, p. **15, 17**

 2 En parejas, comentad **las actividades anteriores.** **¿En qué coincidís?**

Cuad.
p. 17

● *A mí me gusta comer chocolate.*

○ *A mí también. / A mí no.*

A los / las dos nos gusta... ....

....

....

> ### MI GRAMÁTICA
>
> **TAMBIÉN / TAMPOCO**
>
> 🖤 ●(A mí) Me gusta estudiar.
>
> 🤍 ○A mí **también**.
>
> 👎 ■A mí **no**.
>
> 👎 ●(A mí) No me gusta leer.
>
> 👎 ○A mí **tampoco**.
>
> 🖤 ■A mí **sí**.
>
> ---> Gramática, p. **55**
> ---> Cuaderno, p. **17**

 EL JUEGO DEL "TAMBIÉN / TAMPOCO". Uno/a de vosotros/as dice algo que le gusta y le tira una pelota a otro/a. Él o ella responde como en los ejemplos de los bocadillos y le tira la pelota a otro/a compañero/a.

 *Me gusta jugar al tenis.*

A mí también.

A mí no.

Taller de lengua 1

¿SON GUAYS TUS PROFES? ---> p. **61**

PLATOS FAVORITOS

1 Lee **este artículo.**
Asocia **una imagen a cada persona y** escribe **sus gustos.**

Cuad. p. 18

A Paquita le gusta...

LOS PLATOS FAVORITOS de nuestros lectores

 **PAQUITA**
61 años, Madrid
C

Yo como mucha verdura y me gusta de muchas maneras, pero mi favorita es la menestra. Sobre todo si lleva zanahoria.

 **MIGUEL**
33 años, Caracas

Yo soy feliz cuando como pollo al curri. Tengo un amigo indio que lo prepara muy bien.

 **SANDRA**
12 años, Sevilla

La comida que más me gusta es la tortilla de patatas de mi madre. También me gusta la tortilla francesa, pero menos.

 **LUIS**
13 años, Barcelona

Las albóndigas con salsa de tomate son mi plato favorito. ¡Están buenísimas!

2 Di **a qué platos de los anteriores se refieren estas frases.**

a. Lleva arroz. _____

b. Lleva carne y tomate. _____

c. Lleva huevo y patata. _____

 3 ¿Y A TI? **¿Te gustan estas cosas?**

| la carne | el pollo | la verdura | el tomate | las albóndigas | el arroz | los huevos |

A mí (no) me gusta/n...

 EL JUEGO DE LA COMIDA. Escribe en un papel tu nombre y dos alimentos, platos o bebidas: uno que te gusta y uno que no. El profesor/a los recoge y los reparte. Intenta adivinar qué le gusta y qué no le gusta a la persona de tu papel.

Chiara: no te gusta el pescado y te gusta el tomate.

¡No!

CHIARA:
EL PESCADO
EL TOMATE

MI GRAMÁTICA

EL VERBO GUSTAR

(A mí)	me gusta/n
(A ti)	te gusta/n
(A él, ella)	le gusta/n

Me gusta **el** tomate.

Me gusta**n las** albóndigas.

---} Gramática, p. 53
---} Cuaderno, p. 15, 17

¿SABES QUE...?

En España, si una tortilla lleva solo huevo, se llama tortilla francesa.

MIS PALABRAS

los huevos

la carne

la tortilla

las albóndigas

el pollo

la verdura

---} Palabras, p. 56
---} Cuaderno, p. 18-20

EL MENÚ DEL COLE

1 Lee el menú de esta escuela.
Busca en el diccionario las palabras que no conoces.
¿Qué día te gusta más?

Cuad. p. 18

2 DE NOVIEMBRE	3 DE NOVIEMBRE	4 DE NOVIEMBRE	5 DE NOVIEMBRE	6 DE NOVIEMBRE
Crema de verduras Pescado al horno Natillas	Ensalada Albóndigas con patatas Fruta	Menestra de verduras Tortilla de patatas Gelatina	Sopa Pollo empanado con ensalada Yogur	Espinacas Lasaña de carne Fruta
9 DE NOVIEMBRE	**10 DE NOVIEMBRE**	**11 DE NOVIEMBRE**	**12 DE NOVIEMBRE**	**13 DE NOVIEMBRE**
Ensalada Arroz a la cubana Gelatina	Garbanzos con espinacas Calamares a la romana Fruta	Espaguetis Bistec a la plancha con ensalada Flan	Ensalada Paella Fruta	Lentejas con patatas Pescado a la plancha Yogur

2 Lee estos diálogos.
¿De qué día hablan?

ARROZ A LA CUBANA

❶ ¡Bieeen! ¡Arroz a la cubana! ¡Me encanta!

¡A mí también!

→

❷ ¡Oh, no! No me gustan las lentejas…

¿Ah, sí? Pues a mí me gustan mucho, están buenísimas.

→

❸ ¿¡Calamares?! No puedo comer.

¿Por qué no?

Soy alérgico.

→

3 Marca si las frases son verdaderas o falsas.
Corrige las falsas.

DIÁLOGO 1 Al chico le gusta el arroz a la cubana y a la chica no. ☑ ☒

Al chico le gusta el arroz a la cubana y a la chica también.

DIÁLOGO 2 La chica no puede comer lentejas porque es alérgica. ☐V ☐F

DIÁLOGO 2 Al chico le encantan las lentejas. ☐V ☐F

DIÁLOGO 3 Al chico no le gustan los calamares. ☐V ☐F

MI GRAMÁTICA

GUSTAR, ENCANTAR...

🖤🖤🖤 me encanta(n)

🖤🖤 me gusta(n) mucho

👎 no me gusta(n)

👎👎 no me gusta(n) nada

➖ no puedo

--→ Gramática, p. 54
--→ Cuaderno, p. 15, 21

¡OJO!

Soy alérgico *a* los calamares.

COMPARTIMOS EL MUNDO

❶ ¿Cuántas personas de la clase no comen algún alimento? ¿Por qué?

EL JUEGO DE LA ENTONACIÓN. Ahora, escucha los diálogos y fíjate en la entonación. Después, en grupos de tres, reaccionad ante el menú de la actividad 1. Imitad la entonación de los chicos y chicas que habéis escuchado.

pistas 67 • 69

Taller de lengua 2

LA COMIDA Y YO --→ p. 61

¡QUÉ LINDOS!

1 Lee estos textos.
Responde: ¿estás de acuerdo con Manuel y Daniela?
Justifica tu opinión.

Cuad.
p. 22-24

Yo también creo que los gatos son simpáticos.

Manuel, 12 años (Lima)

Tu animal favorito: A mí me encantan los gatos. Son independientes y muy bonitos. Dicen que no son simpáticos y que son perezosos, pero bueno... ¡yo también soy un poco perezoso!

Un animal que no te gusta nada: No me gustan nada las serpientes. Son feas, y además son aburridas.

Daniela, 12 años (Arequipa)

Tu animal favorito: Mi animal favorito es la cobaya. Tengo dos. Son superinteligentes y cariñosas. ¡Y muuuuuuy lindas!

Un animal que no te gusta nada: Los perros. Son muy nerviosos y muy pesados.

RECUERDA

Los caball**os** son rápid**os**.

Las tortug**as** no son rápid**as**.

Los mon**os** son inteligent**es**.

Las cobay**as** son inteligent**es**.

⟶ Gramática, p. 36

2 ¿Y TÚ? ¿Tienes un animal favorito?
¿Hay alguno que no te gusta? ¿Por qué?

Mi animal favorito es... porque...
No me gustan los / las... porque...

el mono

el caballo

el perro

la tortuga

la serpiente

EL JUEGO DEL MIMO. Una persona representa con gestos uno de estos adjetivos. Los demás tienen que adivinarlo.

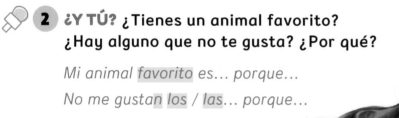

perezoso/a aburrido/a cariñoso/a simpático/a rápido/a

inteligente nervioso/a independiente lento/a

LOS GUSTOS DE LOS ANIMALES

1 Lee **este texto.**
Responde **a las preguntas.**

Cuad.
p. 22-24

> Me llamo Nora y tengo una gran familia.
> Lo que más me gusta en el mundo son las galletas que me
> dan en el parque las amigas de mi "mamá". Tengo muchos
> amigos y me gusta jugar con ellos, correr y pasear.
> Me encanta oler todas las cosas: árboles, personas…

↑ Adaptado de *20 minutos* (2010)

a. ¿Quién es Nora en la foto?

....

b. ¿Qué le gusta hacer?

....

2 Subraya **el verbo imposible (¡o casi!) de cada frase.**

a. A los perros les gusta **comer / volar / dormir.**

b. A los peces les gusta **jugar / nadar / correr.**

c. A las serpientes les gusta **dormir / nadar / volar.**

d. A los gatos les gusta **jugar / cantar / comer.**

e. A las tortugas les gusta **comer / leer / dormir.**

3 Elige **a uno de estos animales.**
Imagina **cómo es y qué le gusta hacer.**
Escribe **un texto como el de la actividad 1.**

el pez Leo

la vaca Paca

la gata Rosita

el pájaro Piolín

....
....
....
....

MI GRAMÁTICA

EL VERBO GUSTAR

💙 **A** Nora
le gusta jugar.

💙 **A los perros**
les gusta jugar.

⇢ Gramática, p. 53

MIS PALABRAS

dormir

jugar

nadar

correr

cantar

volar

⇢ Palabras p. 56

Taller de lengua 3

**AUTORRETRATO
ANIMAL** ⇢ p. 61

LOS VERBOS REGULARES EN PRESENTE DE INDICATIVO

En español, existen tres grupos de verbos: los verbos que terminan en **-ar**, en **-er** y en **-ir**.

	ESCUCHAR	BEBER	ESCRIBIR
(yo)	escucho	bebo	escribo
(tú)	escuchas	bebes	escribes
(él, ella)	escucha	bebe	escribe
(nosotros/as)	escuchamos	bebemos	escribimos
(vosotros/as)	escucháis	bebéis	escribís
(ellos, ellas)	escuchan	beben	escriben

1 Completa **estas tablas de verbos.**

	HABLAR	APRENDER	VIVIR
(yo)			
(tú)			
(él, ella)			
(nosotros/as)			
(vosotros/as)			
(ellos, ellas)			

2 Completa **las frases conjugando el verbo en presente y añadiendo un complemento.**

a. Yo (TOCAR) _____ _____ .

b. Lucía (VIVIR) _____ _____ .

c. Mi madre y mi padre (HABLAR) _____ _____ .

d. ¿Tú (LEER) _____ _____ ?

e. Nosotros no (COMER) _____ _____ .

f. Yo no (ESCRIBIR) _____ _____ .

g. ¿Por qué vosotras no (ESTUDIAR) _____ _____ ?

3 Completa **las frases conjugando el verbo en presente.**

tocar	vivir	aprender	escribir	comer	~~escuchar~~

a. Marta, ¿tú _escuchas_ la radio?

b. Pedro _____ inglés con su vecina porque es inglesa.

c. ¿Vosotros _____ algún instrumento?

d. Me llamo Lucía y _____ en Lima.

e. Los españoles _____ muy tarde.

f. Nosotros en clase de Inglés _____ cuentos y redacciones. ¿Vosotros también?

4 Completa **el crucigrama con los verbos que faltan en las siguientes frases.**

1. Tú ___aprendes___ a tocar la batería.

2. Mis amigos _____ en Roma.

3. Yo _____ mucha música.

4. ¿Tu padre _____ poemas?

5. ¿Vosotros no _____ carne?

EL VERBO **GUSTAR**

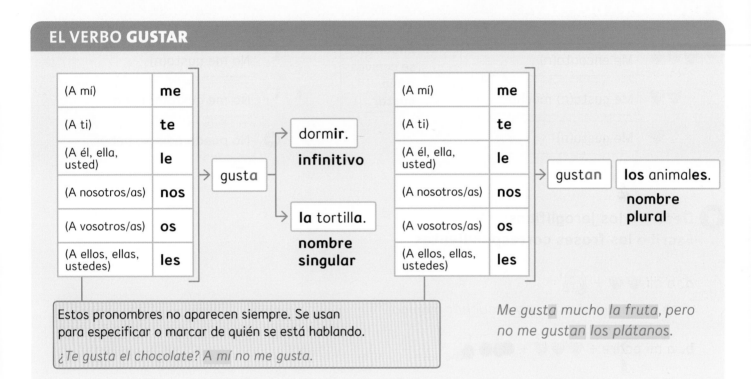

(A mí)	**me**
(A ti)	**te**
(A él, ella, usted)	**le**
(A nosotros/as)	**nos**
(A vosotros/as)	**os**
(A ellos, ellas, ustedes)	**les**

→ gusta →

dorm**ir**.
infinitivo

la tortill**a**.
nombre singular

(A mí)	**me**
(A ti)	**te**
(A él, ella, usted)	**le**
(A nosotros/as)	**nos**
(A vosotros/as)	**os**
(A ellos, ellas, ustedes)	**les**

→ gusta**n** | **los** animal**es**.

nombre plural

Estos pronombres no aparecen siempre. Se usan para especificar o marcar de quién se está hablando.

¿Te gusta el chocolate? A mí no me gusta.

Me gusta mucho la fruta, pero no me gustan los plátanos.

5 Completa **las frases con gusta o gustan.**

a. ¿Te ___gustan___ las serpientes?

b. A mí me _____ leer libros de aventuras.

c. A mí me _____ mucho la paella.

d. A Noemí le _____ las patatas fritas.

6 Escribe **frases con estos elementos.**

a. A José / gustar / las Matemáticas.

A José le gustan las Matemáticas.

b. ¿A ti / no / gustar / el hip hop?

_____

c. A mí / gustar / la escuela.

_____

7 Di **si te gusta o no.** Escribe **frases completas.**

a. El rap. → *Me gusta el rap.*

b. Estudiar español. →

c. El fútbol. →

d. Ver la tele. →

e. El pollo. →

f. Los cómics. →

ENCANTAR Y GUSTAR

 Me encanta(n)

 Me gusta(n) mucho

Me gusta(n)

Encantar se conjuga como **gustar**.

No me gusta(n)

No me gusta(n) nada

No puedo comer, beber...

---

8 Descifra **los jeroglíficos.**
Escribe **las frases correspondientes.**

a. a mí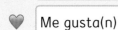
A mí me gusta mucho escuchar música.

b. a mi padre +

c. a Rafael +

d. yo +

e. a mí +

---

9 Inventa **y** dibuja **dos jeroglíficos.**
¡A ver si tu compañero/a los adivina!

a. _____ + ☐ + ☐

b. _____ + ☐ + ☐

TAMBIÉN, TAMPOCO

• Yo escucho música pop.
- ○ Yo **también**.
- ❏ Yo **no**.

• Yo **no** estudio inglés.
- ○ Yo **tampoco**.
- ❏ Yo **sí**.

• (A mí) Me gusta la pizza.
- ○ A mí **también**.
- ❏ A mí **no**.

• (A mí) **No** me gustan los perros.
- ○ A mí **tampoco**.
- ❏ A mí **sí**.

A mí no me gustan los videojuegos.

A mí sí.

¡A mí también!

10 **¿Coincides con estas afirmaciones?**
Escribe tu respuesta personal.

a. Yo leo cómics.

b. A mí me encanta chatear.

c. Yo no escucho música clásica.

d. A mí no me gustan los perros.

e. Yo estudio inglés.

11 **Ahora escribe afirmaciones para estas respuestas.**

a.

Yo tampoco.

b.

A mí sí.

c.

A mí tampoco.

tocar el saxo

estudiar inglés

escuchar música

leer cómics

   escribir poemas

beber refrescos

comer chocolate

  **cantar**

correr

nadar

volar

chatear

LAS ACTIVIDADES

LA COMIDA

MIS

PALABRAS AMIGAS

LOS ALIMENTOS

 la verdura

 la fruta

 la pasta

 el pescado

 el huevo

 el arroz

 la carne

 el pollo

 el tomate

  la patata

 el limón

 los espaguetis

LOS PLATOS

 la tortilla

 la paella

 el gazpacho

 las albóndigas

 el ceviche

Escuchar música.

Tocar la guitarra.

Estudiar español.

Jugar al fútbol.

Lleva arroz.

Mi comida favorita es la pasta.

No puedo comer huevo.

Soy alérgico a los calamares.

PLATOS E INGREDIENTES

1 Escribe **el nombre de alguno de los ingredientes de estos platos.**

gazpacho T O M A T E

paella A ....

tortilla de patatas  H ....

P ....

ceviche   L ....

P ....

LAS MASCOTAS

la tortuga

el pájaro

el pez

el gato

el perro

la serpiente

la cobaya

SI ES PARA COMER, DECIMOS PESCADO.

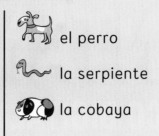

el caballo

el mono

la vaca

GUSTOS

LOS ANIMALES

PARA LAS PERSONAS, USAMOS GUAPO/A.

bonito/a ≠ feo/a

lindo/a

rápido/a ≠ lento/a

PARA DESCRIBIR ANIMALES... Y PERSONAS

EL CARÁCTER

 tranquilo/a ≠ nervioso/a

inteligente ≠ tonto/a

 divertido/a ≠ aburrido/a

simpático/a ≠ antipático/a

 trabajador/a ≠ perezoso/a

 tímido/a ≠ sociable

independiente

pesado/a

gracioso/a

cariñoso/a

ANIMALES Y CARÁCTER

2 **¿Conoces a personas así?** Describe **cómo son con tus propias palabras.**

a. *Mi amiga Julia* es **independiente**: *le gusta estudiar sola* .

b. _____ es **tímido/a**: _____ .

c. _____ es **divertido/a**: _____ .

d. _____ es **aburrido/a**: _____ .

3 ¡Crea tu mapa mental! **Puedes clasificar los animales, las actividades y la comida en:** me gusta / no me gusta.

LA VENTANA
∼ PERIÓDICO DIGITAL ∼

En este número de *La Ventana* hablamos de unos jóvenes periodistas de Lima y de animales del Perú.

VÍDEO

DVD 2

DIANA

↑ **Chikireporteros**, NAPA (No Apto Para Adultos)

CHIKIREPORTEROS

1 En Lima, como en otras ciudades del mundo, muchos chicos y chicas tienen que trabajar para ayudar a sus familias.

Gracias a un proyecto de cooperación, un grupo
5 de adolescentes de Lima hacen de periodistas para luchar contra el trabajo infantil.

Si quieres saber qué cosas hacen y por qué les gusta ser periodistas, ¡mira el vídeo!

ANIMALES DEL PERÚ

El Perú es uno de los países con más biodiversidad del mundo.

En los Andes

EL CÓNDOR

LA LLAMA

① **Los niños del vídeo son periodistas. ¿Qué dos cosas hacen?**

② **¿Por qué les gusta ser periodistas?**

③ **¿Cuál de estos seis animales es nuevo para ti?**

④ **Di qué tipo de animal es cada uno.**

Reptiles	Aves	Mamíferos

⑤ **Busca en internet un mapa del Perú y señala los Andes y la selva amazónica.**

Por Lucía, corresponsal desde Lima.

EL PERRO SIN PELO

En la selva amazónica

EL CAIMÁN

EL TUCÁN

EL JAGUAR

¡Eres periodista!

Elige un animal doméstico para hacer un reportaje sobre él.

1. Escribe un guion:
- cómo se llama y dónde vive
- qué hace y qué le gusta
- qué come

2. Graba tu reportaje.

CUESTIONARIO CULTURAL
¡Demuestra cuánto sabes!

Comida

→ ¿Qué platos conoces con estos ingredientes?

pescado	tomate
....	....
....	....

huevos	arroz
....	....
....	....

→ Busca en la unidad todos los platos que son nuevos para ti y haz una lista.

→ La tortilla francesa es…

a. una tortilla con verduras

b. una tortilla solo con huevo.

c. un tipo de reptil.

Animales

→ ¿Reconoces estos animales? ¿Cuáles de ellos viven en el Perú y no en Europa?

Perú

→ Busca en internet. ¿Qué países limitan con el Perú?

C _ _ _ _ _ _ _
E _ _ _ _ _ _
B _ _ _ _ _
Perú
B _ _ _ _ _ _
Ch _ _ _

1. En la viñeta 5, ¿por qué los padres de Lucía le hacen esas preguntas?

2. ¿Qué quieren conseguir Lucía y sus amigos con su campaña?

3. ¿Tienes mascota? ¿Quién se ocupa de ella?

Taller 1 · LECCIÓN 1

¿SON GUAYS TUS PROFES?

⟶ Alternativa digital
Grabad la presentación en audio o en vídeo.

Nos preparamos

1 Por parejas, pensad en un/a **profesor/a de la escuela** que os gustaría entrevistar.

Lo creamos

2 **Escribid las preguntas** para descubrir sus gustos.

3 Traducid las preguntas a vuestra lengua y haced la entrevista al profesor. Para terminar, **traducid las respuestas al español.**

Lo presentamos

4 Uno de vosotros es el profesor y el otro es el reportero. **Representad** la entrevista.

¿Te gusta escuchar música?

Taller 2 · LECCIÓN 2

LA COMIDA Y YO

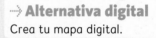
⟶ Alternativa digital
Crea tu mapa digital.

Nos preparamos

1 Con la ayuda de un diccionario, haz una **lista de alimentos o platos** pensando en tus gustos.

Lo creamos

2 Después, **diseña tu mapa mental** como en "La comida y yo".

Lo presentamos

3 **Presentad** vuestro mapa. ¿Cuál es el plato favorito de la clase? ¿Con quién tienes más cosas en común?

LA COMIDA Y YO

ME ENCANTA   ME GUSTA   NO ME GUSTA   NO ME GUSTA NADA

Taller 3 · LECCIÓN 3

AUTORRETRATO ANIMAL

⟶ Alternativa digital
Crea tu retrato digital.

Nos preparamos

1 Piensa en tres **adjetivos para describirte.** Después, **busca fotos de animales** que representen cada uno de esos adjetivos.

Lo creamos

2 En una cartulina, **forma tu cuerpo con una parte de cada animal.** Escribe frases sobre ti y asócialas a cada parte del cuerpo con una flecha.

Soy alegre como un pájaro.

Soy nervioso como un ratón.

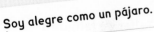
Soy listo como un zorro.

UNIDAD 3
Mi familia y mi casa

⬆ La Ciutat de les Arts i les Ciències, Valencia

LECCIÓN 1

Hablo de... los miembros de una familia.

- La familia
- Los adjetivos posesivos
- Revisión:
  - El carácter
  - Los verbos **tener** y **ser** (1)

Taller de lengua 1 Invento los personajes de una serie de televisión sobre una familia de ficción.

LECCIÓN 2

Hablo de... las características físicas de las personas.

- Las partes del cuerpo
- Adjetivos para describir
- Los colores (1)
- El verbo **llevar**
- Revisión:
  - El género y el número
  - Los verbos **tener** y **ser** (2)

Taller de lengua 2 Hacemos una estadística de las características físicas de los estudiantes de la clase.

LECCIÓN 3

Hablo de... las habitaciones y los muebles más comunes en una vivienda.

- Las partes de la casa
- Los muebles
- Los colores (2)
- **Hay / no hay**
- La localización (1)

Taller de lengua 3
Imaginamos y diseñamos una casa ideal.

LA VENTANA
─ PERIÓDICO DIGITAL ─
Descubro al pintor valenciano Joaquín Sorolla y el famoso acuario de Valencia.

SOMOS CIUDADANOS
Óscar conoce a una familia que se organiza en casa de una forma diferente.

Nos habla Óscar
desde Valencia
(España).

Valencia

España

Óscar
Hoy estoy en el Oceanogràfic de Valencia con mi madre, mi hermano y mis abuelos. 🌀
10:30

Ximena
¿Oceoanogràfic?
10:35

Óscar
Sí, es "oceanográfico" en valenciano. Es un acuario muy grande. Hay peces de todos los océanos. ¡Muy chulo! 😜
10:36

Lucía
¡Qué suerte! Yo estoy en el cole. 😔
10:40

¡EN MARCHA!

1 ¿Quién es quién en la familia de Óscar?

 a
 b

 c
 d

 d su abuela

su hermano

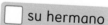 su abuelo

su madre

2 Escucha la entrevista. ¿De qué temas hablan?

pista 70

ⓧ **a.** la edad
□ **b.** el carácter
□ **c.** la familia
□ **d.** las mascotas

□ **e.** el colegio
□ **f.** la comida
□ **g.** la casa

LA FAMILIA DE ÓSCAR

1 Mira **el vídeo. ¿Con quién vive Óscar?**

Cuad.
p. 28

VÍDEO

DVD
3

¡OJO!

los padres $\nearrow$ la madre
$\searrow$ el padre

los hijos $\nearrow$ la hija
$\searrow$ el hijo

2 Completa **el árbol genealógico de la familia de Óscar.**

Cuad.
p. 30

→Paco → →María →José María

→ → →

→ Óscar → → →

MI GRAMÁTICA

mi hermano/a
mis hermanos/as

tu hermano/a
tus hermanos/as

su hermano/a
sus hermanos/as

---› Gramática, p. **70**
---› Cuaderno, p. **31**

3 Deduce **el significado de las palabras marcadas.**

a. Óscar es el **nieto** de María.

→ *"Nieto" significa "grandson".*

b. La **mujer** de Miguel se llama Bea.

→ ....

c. El **exmarido** de Silvia se llama Miguel.

→ ....

d. Natalia es **medio hermana** de Óscar.

→ ....

COMPARTIMOS EL MUNDO

pista
71
1 Escucha y completa.

En .... la gente tiene
normalmente dos apellidos: el del padre
y el de la madre.

En .... forman el patronímico
con el nombre del padre. Por ejemplo,
Ivanovich quiere decir "hijo de Iván".

En .... llevan solo el apellido
del padre o de la madre.

En .... primero dicen el
apellido y después el nombre.

En el .... no tienen
apellidos.

2 ¿Cómo sería tu nombre
completo en estos países?

LA FAMILIA DE CHICA VAMPIRO

1 Lee **la presentación de esta serie colombiana y** responde.

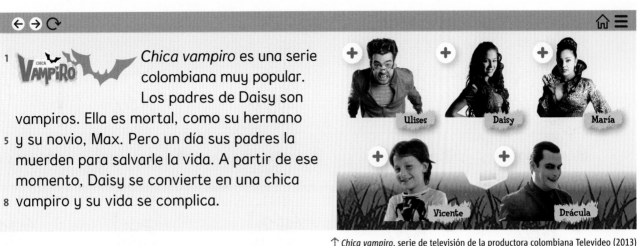

1 *Chica vampiro* es una serie colombiana muy popular. Los padres de Daisy son vampiros. Ella es mortal, como su hermano
5 y su novio, Max. Pero un día sus padres la muerden para salvarle la vida. A partir de ese momento, Daisy se convierte en una chica
8 vampiro y su vida se complica.

Ulises   Daisy   María

Vicente   Drácula

↑ *Chica vampiro*, serie de televisión de la productora colombiana Televideo (2013)

a. ¿Ves series colombianas o latinoamericanas? ....

b. ¿Te gustaría ver *Chica vampiro*? ¿Por qué? ....

c. ¿Conoces series similares? ....

d. ¿Quién es la protagonista? ....

e. ¿Quién es Max? ....

f. ¿Cuál es el problema de Daisy? ....

2 Escucha **el concurso sobre** *Chica vampiro*. Completa **su árbol genealógico.**

pista 72

Cuad. p. 29

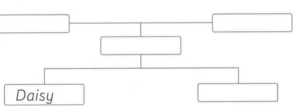

Daisy

3 Escucha **de nuevo y** relaciona **estas frases con un personaje.**

pista 73

Cuad. p. 29

a. Es inteligente y sociable. ⟶ *Daisy* ....

b. Tiene el poder de dormir a la gente. ⟶ ....

c. Es mortal. ⟶ ....

d. Tiene 36 años. ⟶ ....

e. Es muy popular en el mundo de los vampiros. → ....

EL JUEGO DEL ÁRBOL GENEALÓGICO.
Inventa una familia formada por ti y seis personajes famosos. Explica cómo es tu familia ("Mi padre es..."). Dos compañeros dibujan el árbol genealógico. ¿Quién acaba antes? ¿Lo han hecho bien?

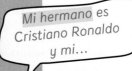

Mi hermano es Cristiano Ronaldo y mi...

Taller de lengua 1

UNA FAMILIA MUY ESPECIAL → p. 79

TENGO LOS OJOS MARRONES

1 Sigue **los pasos y** dibuja **en tu cuaderno a este personaje.**

Cuad.
p. 33, 34

| **1** la cabeza y el pelo | **2** los ojos | **3** la nariz | **4** las orejas | **5** la boca |

| **6** el cuello | **7** los hombros | **8** los brazos y las manos | **9** la barriga | **10** las piernas y los pies |

2 Completa **las frases con un adjetivo y** relaciónalas **con las fotos.**

Cuad.
p. 35

a. El búho tiene los ojos _grandes_ . ☐4

b. La jirafa tiene el cuello muy _____ y el pelo _____. ☐

c. El bisonte tiene el pelo _____. ☐

d. El hipopótamo tiene la boca muy _____ y las orejas _____.

e. El mono tiene los pies y las manos _____. ☐

f. El elefante tiene las orejas _____ y una nariz muy _____ que se llama *trompa.* ☐

MIS PALABRAS

largo/a ≠ corto/a

grande ≠ pequeño/a

⤏ Palabras, p. **75**
⤏ Cuaderno, p. **35**

MI GRAMÁTICA

LA CONCORDANCIA

(el) pie pequeño

(la) mano pequeña

(los) pies pequeñ**os**

(las) manos pequeñ**as**

⤏ Gramática, p. **36**
⤏ Cuaderno, p. **35**

EL JUEGO DE LA CLASE DE AERÓBIC.

1. Levantaos, mirad el vídeo e imitad los movimientos.

2. Sin el vídeo, cada uno da una orden y los demás mueven la parte del cuerpo correspondiente.

VÍDEO

DVD 4

3

¿QUIÉN ES QUIÉN?

Cuad. p. 32

1 Estos son los protagonistas de *Presentes*, una serie argentina. **Mira** la imagen y **completa** con los nombres.

① Fede ⑦ Gonzalo
② Fisu ⑧ Estefi
③ Chifle ⑨ Romi
④ Carla ⑩ Luca
⑤ Natu ⑪ Mariana
⑥ Emilia ⑫ Nacho

a. Tienen el pelo largo y rizado. *Mariana, Carla y Romi*

b. Es rubio. ....

c. Es moreno y tiene el pelo muy corto.

d. Llevan flequillo. ....

e. Tienen el pelo largo y liso. ....

f. Es castaño y tiene el pelo un poco largo. ....

g. Lleva barba. ....

2 **Elige** a una persona famosa que te guste, busca una foto y **descríbela** como en el ejemplo.

Lucía Martiño es la surfista española más internacional.

Lucía es rubia. Tiene el pelo largo y liso y los ojos azules.

3 **¿Y TÚ?** Describe cómo eres.

Tengo el pelo…

 EL JUEGO DE LAS DESCRIPCIONES. Por turnos, uno/a dice una característica física y todos los alumnos que sean así se levantan.

Tiene el pelo rizado.

MIS PALABRAS

Es rubio/a
  moreno/a
  castaño/a
  pelirrojo/a

Tiene el pelo largo
  corto
  liso
  rizado

Tiene los ojos
  azules
  verdes
  negros
  marrones

Lleva gafas
  barba
  bigote
  flequillo
  un *piercing* en la oreja/nariz

⤑ Palabras, p. **75**
⤑ Cuaderno, p. **35**

MIS PALABRAS

● azul(es)

● verde(s)

● negro(a/os/as)

● marrón(es)

⤑ Palabras, p. **75**

Taller de lengua 2

NOSOTROS SOMOS ASÍ ⤑ p. **79**

¿QUÉ HAY EN EL COMEDOR?

Cuad. p. 36-38

1 Mira **el plano de este piso y** relaciona **las letras con las partes de la casa.**

☐ la cocina
☐ el cuarto de baño
☐ el salón comedor
☐ la habitación
☐ el patio

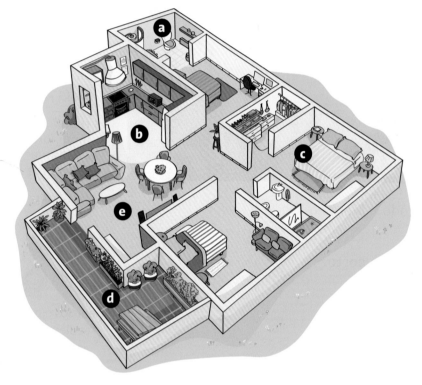

2 Mira **otra vez el plano y** di **qué hay.**

Cuad. p. 36-39

a. *Hay dos cuartos de baño* .

b. _____ .

c. _____ .

d. _____ .

3 Escribe **en qué parte de la casa encuentras estas cosas.**

a. Hay una cama roja. ⟶ *En la habitación roja.*

b. Hay dos mesillas verdes. → _____

c. Hay un sofá gris. ⟶ _____

d. Hay una lámpara amarilla. ⟶ _____

e. Hay un sofá azul. ⟶ _____

f. Hay un ordenador. ⟶ _____

4 Busca **en el diccionario el nombre de otras cosas que quieres saber y están en el dibujo.**

MI GRAMÁTICA

hay **un** balcón
hay **tres** balcones
hay ø balcones / wifi
no hay ø balcones / wifi

⟶ Gramática, p. **72**

¡OJO!

Hay no se puede usar con los artículos determinados.
Hay la habitación.
Hay *una* habitación.

MIS PALABRAS

el sofá
la cama
la lámpara
la mesilla de noche
la nevera
el váter
la ducha
la tele(visión)
el ordenador

⟶ Palabras, p. **74**
⟶ Cuaderno, p. **37**

¿QUÉ HAY DEBAJO DE LA CAMA?

1 Mira la habitación de Óscar. ¿Cómo crees que es Óscar? ¿Por qué?

Cuad. p. 36-39

Cuad. p. 36-39

2 Completa estas frases sobre la habitación de Óscar.

Cuad. p. 32

| un cómic | un gato | un balón | una mesilla |

| un cesto de la ropa sucia | un pantalón | una guitarra |

a. Hay _____ en el suelo.

b. Hay _____ encima de la cama.

c. Hay _____ debajo de la cama.

d. Hay _____ delante del armario.

e. Hay _____ dentro del cesto de la ropa sucia.

f. Hay _____ entre el armario y la cama.

g. Hay _____ detrás de la silla.

3 Escribe en tu cuaderno cinco frases sobre los objetos de la clase y compártelas con tus compañeros.

Hay un póster detrás de la puerta.

4 ¿Y TÚ? Describe tu habitación. ¿Qué muebles y objetos hay? Un compañero/a debe dibujarla. ¿Ha acertado?

EL JUEGO DE LA MEMORIA. En parejas, observad la habitación de Óscar durante 30 segundos. Luego cerrad el libro y haceos preguntas.

¿De qué color es el armario?

¿Qué hay encima de la mesa?

MIS PALABRAS

el armario

el escritorio

la estantería

el suelo

la pared

la ventana

el póster

la silla

la almohada

---

ordenado/a ≠ desordenado/a

⟶ Palabras, p. **74**

MI GRAMÁTICA

en el cesto = **dentro del** cesto

en la mesa = **encima de** la mesa

debajo de la cama

delante de la silla

detrás de la foto

entre el armario y el escritorio

⟶ Gramática, p. **73**
⟶ Cuaderno, p. **39**

¡OJO!

del sofá (de + el = del)

de la caja

de los sofás

de las cajas

Taller de lengua 3

UNA CASA IDEAL
⟶ p. **79**

LOS POSESIVOS ÁTONOS

SINGULAR		PLURAL	
MASCULINO	FEMENINO	MASCULINO	FEMENINO
mi hermano	**mi** hermana	**mis** hermanos	**mis** hermanas
tu hermano	**tu** hermana	**tus** hermanos	**tus** hermanas
su hermano	**su** hermana	**sus** hermanos	**sus** hermanas
nuestro hermano	**nuestra** hermana	**nuestros** hermanos	**nuestras** hermanas
vuestro hermano	**vuestra** hermana	**vuestros** hermanos	**vuestras** hermanas
su hermano	**su** hermana	**sus** hermanos	**sus** hermanas

> Solo los adjetivos posesivos de la 1.ª y 2.ª persona del plural tienen formas diferentes para el masculino y el femenino.

1 Relaciona **cada texto con su ilustración.**

1. ☐ **Mi amigo** Nacho con **su perro**.
2. ☐ **Mi amiga** Sandra con **nuestra profesora**, Marta.
3. ☐ **Mi hermano** Alberto con **su mujer**.
4. ☐ **Mi** mejor **amiga** con **sus hermanas** y **hermanos**.
5. ☐ **Mis abuelos**.
6. ☐ Julia y Bruno con **sus hijos**, Martín y Claudia.

2 Crea **tu propia galería de imágenes con fotos de amigos y familiares.**
Escribe **un pequeño texto para cada imagen.**

3 Completa **con los posesivos adecuados. El poseedor está marcado en negrita.**

a. La casa donde **yo** vivo es .... casa.

b. La clase donde estudiamos **vosotros y yo** es .... clase.

c. Las chicas y los chicos que estudian con **vosotros** son .... compañeros.

d. La casa de **Rita** es .... casa.

e. El perro de **Ángela y Luis** es .... mejor amigo.

f. El ordenador que **tú y tu hermano** tenéis en la habitación es .... ordenador.

g. El gato que **tú** tienes en casa es .... gato.

h. La habitación donde dormís **tú y Elena** es .... habitación.

4 Completa **con los adjetivos posesivos correspondientes.**

a. Hablo de mí. → .... gata se llama Peluche y .... perro, Patitas.

b. Hablo de Francisco. → .... ojos son azules.

c. Hablo de mis compañeros y de mí. → .... profesora de Español es muy simpática.

d. Hablo de Raquel y de ti. → ¿Cómo se llama .... abuelo?

e. Hablo de ti. → ¿De qué color es .... habitación?

f. Hablo de Olga. → .... hermano es rubio.

5 Lee **el texto sobre la familia de Raúl y** marca **los posesivos. Hay ocho.**
Identifica **a cada persona.**

Esta es mi familia.

Yo me llamo Raúl. Mis padres se llaman Felipe y Antonia. Tengo dos hermanos: Juan y Rosi.

Mi hermano Juan está casado con Belén y tienen dos hijas. Sus hijas se llaman Lidia y Leticia. Mi sobrina Lidia tiene diez años y Leticia, dos. Mis hijos se llaman Ari y Pablo.

Los fines de semana siempre vamos a visitar a mis padres, que viven cerca de nuestra casa.

MI GRAMÁTICA

HAY

En mi habitación **hay** → **una** cama.
→ **dos** camas.
→ **ø** ventanas.

Hay es una forma invariable.

- ¿En tu casa hay balcón?
- Sí, hay dos balcones. / No, no hay balcón.

Después de **hay** no se puede poner un artículo determinado.
En mi habitación, ~~hay la cama~~.
En mi habitación, hay una cama.

---

6 Escribe **si en estos lugares de tu casa hay o no hay estos objetos. ¿Cuántos hay?**

a. radio / cuarto de baño: *Hay una radio en el cuarto de baño. / No hay radio en el cuarto de baño.*

b. televisión / cocina: _____

c. microondas / cocina: _____

d. ordenador / mi habitación: _____

e. sofá / salón: _____

f. escritorio / habitación: _____

g. sillas / cocina: _____

7 Mira **las imágenes. ¿Qué muebles y objetos conocidos hay?**
Escribe **tres frases para cada lugar.**

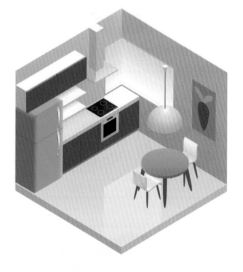  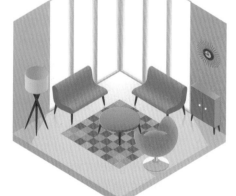

En la cocina hay...

a. _____

b. _____

c. _____

En la habitación hay...

a. _____

b. _____

c. _____

En el salón hay...

a. _____

b. _____

c. _____

LA LOCALIZACIÓN

Hay un gusano [**delante** de] la caja.

Hay un gusano [**detrás** de] la caja.

Hay un gusano [**encima** de] la caja.

Hay un gusano [**debajo** de] la caja.

Hay un gusano [**en / dentro** de] la caja.

Hay un gusano [**entre**] las cajas.

de + el → del sofá

---

8 Completa **las frases con** del, de la, de los **o** de las.

a. En el salón hay una estantería al lado __del__ sofá.

b. ¡Mira! Debajo _____ libros hay un papel.

c. En mi habitación hay una estantería al lado _____ escritorio.

d. Encima _____ mesa hay un ordenador.

e. ¿Puedes poner estas cosas dentro _____ cajas?

f. ● ¿Qué hay detrás _____ puerta?
   ○ Un espejo.

g. Hay un cuadro detrás _____ sillas del salón.

9 Mira **la ilustración. ¿Dónde están las arañas?**

Hay una araña…

a. _dentro de la maceta._

b. ....

c. ....

d. ....

e. ....

f. ....

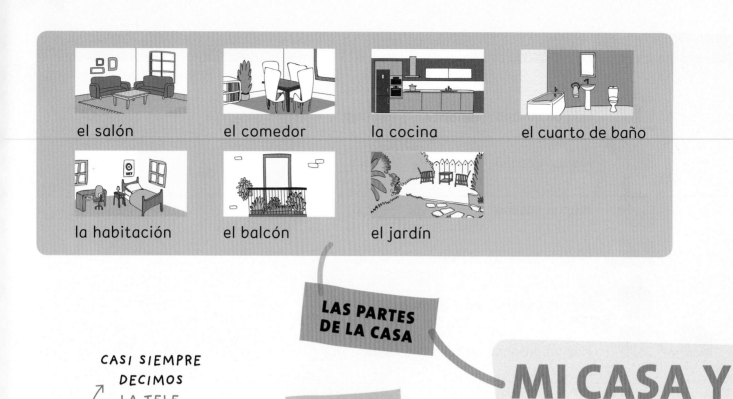

LAS PARTES DE LA CASA

MI CASA Y

CASI SIEMPRE DECIMOS LA TELE.

MUEBLES Y OBJETOS

LOS MUEBLES Y LAS HABITACIONES

1 ¿Cómo se llaman estos muebles y objetos? ¿Qué habitaciones son?

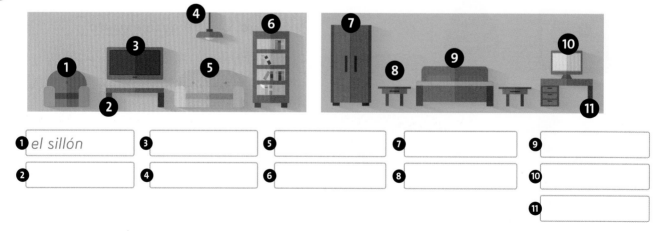

1 *el sillón*   **3**   **5**   **7**   **9**

2   **4**   **6**   **8**   **10**

11

la cabeza
la nariz
la boca
las orejas

el pelo → largo ≠ corto / rubio / negro / castaño
los ojos → azules / verdes / negros / marrones
los pies → grandes ≠ pequeños

el cuello
los hombros
la barriga
los brazos
las manos
las piernas

llevar...
gafas
bigote
flequillo
un *piercing*

LAS PARTES DEL CUERPO

MI FAMILIA

LOS COLORES

blanco
negro
rojo
azul
verde
amarillo

gris
lila
rosa
marrón
naranja

LA FAMILIA

el abuelo / la abuela
el padre / la madre
el hijo / la hija
el hermano / la hermana
el nieto / la nieta
el marido / la mujer
el medio hermano /
la medio hermana

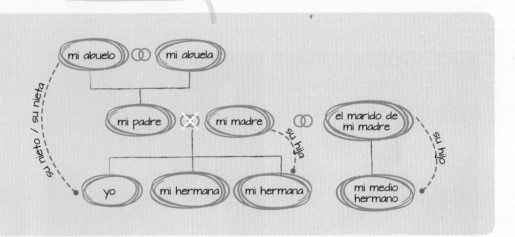

LA FAMILIA

2 Completa **la serie.**

a. el hijo + la hija = *los hijos*

b. la hija + la hija = ...

c. el hijo + el hijo = ...

d. el hermano + la hermana = ...

e. .... + la hermana = las hermanas

LOS COLORES

3 Completa **las frases.**

a. La mesa es blanc*a* y las sillas son amarill*as*.

b. La moto de mi padre es roj...... .

c. Los perros de Marina son negr...... .

d. Las puertas del colegio son gris...... .

4 ¡Crea tu mapa mental! **Pon las partes de tu casa y los muebles de tu habitación.**

LA VENTANA
~ PERIÓDICO DIGITAL ~

En este número de *La Ventana* hablamos de un pintor muy famoso y del Oceanogràfic de Valencia.

JOAQUÍN SOROLLA: UN PINTOR VALENCIANO

1 Joaquín Sorolla es un pintor de Valencia muy famoso. A Sorolla le gusta "pintar la luz", por eso pinta muchas escenas al aire libre. Sus cuadros más conocidos representan a niños y
5 personas mayores en la playa de la Malvarrosa, en Valencia, pero también pinta otros temas, como la familia.

↑ *Las dos hermanas,* Joaquín Sorolla (1904)

↑ La familia Sorolla

 ¡Encuentra 3 diferencias!

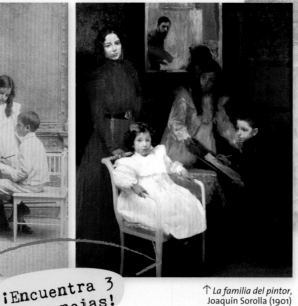
↑ *La familia del pintor,* Joaquín Sorolla (1901)

1 **Observa atentamente la fotografía y el cuadro de la familia y** responde.
   a. En la fotografía, ¿quién es Joaquín Sorolla?
   b. En el cuadro, el pintor aparece en un espejo. ¿Por qué?
   c. ¿Qué hace el hijo de Sorolla?

2 ¿Qué elemento pinta mucho Joaquín Sorolla?

3 ¿Te gustaría visitar el Oceanogràfic? ¿Por qué?

Por Óscar, corresponsal desde Valencia.

EL OCEANOGRÀFIC

Uno de los lugares más conocidos de Valencia es el Oceanogràfic. Es un acuario enorme, hay peces de muchas especies, tiburones, ballenas... Te sientes como dentro del mar: ¡es increíble!

VÍDEO

DVD
5

↑ *Ártico.* Oceanogràfic (2012)

¡Eres periodista!

Vas a investigar un extraño caso de "cuadros parecidos".

1. Busca en internet el cuadro *Las meninas*, de Diego Velázquez.

2. Compara *Las meninas* con *La familia del pintor*.

3. Haz una lista de las cosas que tienen en común los dos cuadros.

4. Busca de qué año son los cuadros. ¿Cuál es más antiguo?

CUESTIONARIO CULTURAL
¡Demuestra cuánto sabes!

Los apellidos en España

→ Mira este árbol genealógico y descubre los enigmas.

Si yo me llamo Lucía Salcedo García,
• Manuel Salcedo Zanza es mi...
• Samuel Salcedo García es mi...
• Gloria García Naranjo es mi...
• Manuel Salcedo García es mi...
• Josefa Naranjo Murillo es mi...

Una casa en España

→ En mi casa juego al aire libre, pero no tengo balcón, no tengo terraza y no tengo jardín. ¿Dónde juego?

La ciudad de Valencia

→ ¡Consigue 10 puntos!
★ ¿A orillas de qué mar está Valencia? (2 puntos)
★ Di un lugar de Valencia donde puedes ver animales marinos. (3 puntos)
★ Di el nombre de un pintor valenciano. (2 puntos)
★ Di el nombre de una playa que hay al lado de Valencia. (3 puntos)

1. ¿Qué descubre Óscar en la viñeta 2?

2. ¿A qué se dedica el padre de Manu? ¿Y su madre?

3. ¿Y tú? ¿Conoces alguna familia parecida a la de Manu?

Taller 1 · LECCIÓN 1

UNA FAMILIA MUY ESPECIAL

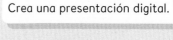
Alternativa digital
Crea una presentación digital.

Nos preparamos

1. Vas a **inventar a una familia** especial para protagonizar una serie de televisión. Piensa qué tipo de familia quieres: inventores, extraterrestres, zombis…

Lo creamos

2. **Haz una ficha de cada personaje** y presenta a tu familia en un póster.

> **MARÍA VAMP**
> **Relación familiar:** Es la abuela.
> **Edad:** Tiene 48 años (edad humana) y 700 años (edad de vampiro).
> **Cómo es:** Es rebelde y tiene muchos novios.
> **Poderes:** Puede dormir a la gente.

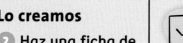
¡Votamos!

3. **Colgad todas las presentaciones** en la clase. ¿Qué propuesta elegís para crear una nueva serie?

Taller 2 · LECCIÓN 2

NOSOTROS SOMOS ASÍ

Alternativa digital
Cread una gráfica con un programa de gestión de datos.

Nos preparamos

1. En parejas, vais a **hacer un estudio estadístico** sobre cómo son físicamente los estudiantes de la clase.

Lo creamos

2. Preparad **una lista con los grupos que queráis incluir**: los rubios, los morenos, los que llevan gafas…

3. **Dibujad una infografía** con todos los datos.

Lo presentamos

4. Presentad vuestra estadística al resto de la clase y **explicad** la información. ¿Sois todos muy diferentes?

> *Cinco personas llevan gafas.*

Taller 3 · LECCIÓN 3

UNA CASA IDEAL

Alternativa digital
Haz una presentación digital. Escanea tu dibujo.

Lo creamos

1. En grupos de tres, **dibujad el plano de vuestra casa ideal con su exterior**. Preparad una explicación en la que debe haber:

   - la descripción de cada **parte de la casa**,
   - el **equipamiento** interior (tele, microondas, etc.) y exterior (jardín, piscina, etc.).

Lo presentamos

2. **Explicad** cómo es vuestra casa al resto de la clase. Podéis **grabaros**.

UNIDAD 4
Mi semana

⬆ Boca del Río, Veracruz

LECCIÓN 1

Hablo de... mi rutina.

- Las actividades cotidianas
- Las partes del día
- Los alimentos (2)
- **Primero, luego, después**
- El verbo **ir** (1)
- Los verbos irregulares en presente (1)
- Los verbos reflexivos

Taller de lengua 1 Cuento una mañana especial en diapositivas.

LECCIÓN 2

Hablo de... los horarios.

- Los días de la semana
- Las asignaturas
- La hora: **de... a...**
- Los verbos irregulares en presente (2): **ir, ver** y **hacer**

Taller de lengua 2 Imagino y presento el horario de un día horrible.

LECCIÓN 3

Hablo de... las actividades extraescolares y de las aficiones.

- Las actividades extraescolares
- Las actividades de tiempo libre
- La frecuencia: **siempre, todos los días**...
- Los verbos **ir** y **jugar**

Taller de lengua 3 Practicamos las expresiones de frecuencia con un juego.

LA VENTANA
~PERIÓDICO DIGITAL~

Descubro una actividad de tiempo libre en Veracruz.

SOMOS CIUDADANOS

Ximena y sus amigos pasan tiempo con algunos ancianos.

En esta unidad nos habla Ximena desde Veracruz (México).

MÉXICO
Veracruz

Ximena 1
¡Buenos días a todos!
¡Entro a la escuela! 😃
08:59

Óscar 2
Pfffff... Yo ahora tengo clase de Mates. 😫
09:00

Laura 3
¡¡Hora del recreo, por fin!! 😃
10:30

Ximena 4
¡Ánimo, que mañana es sábado!
¡¡Yo voy a la playa!! 🌴
¿Y ustedes?
10:36

¡EN MARCHA!

1 Lee los mensajes.
Asócialos con la foto correspondiente.

 A  B  C  D

El mensaje 1 va con la foto...

¿SABES QUE...?

En México la Educación Secundaria es la tercera etapa de la Educación Básica. Se cursa en tres años, normalmente entre los 12 y los 15 años.

2 Escucha la entrevista a Ximena.
pista 74
Completa las frases.

a. Ximena tiene _____ años.

b. Estudia _____ de Secundaria.

c. Los sábados juega al _____ con el equipo de la escuela.

POR LA MAÑANA

1 Escucha a Ximena.
Ordena las actividades que hace.

pista 75

Cuad. p. 42

Primero Ximena se levanta, luego…

a. Me lavo los dientes. →

b. Salgo de casa. →

c. Voy al baño. →

d. Me levanto. →

e. Desayuno. →

f. Paseo al perro. →

g. Me visto. →

h. Chateo. →

i. Preparo la mochila. →

MIS PALABRAS

luego = después

MI GRAMÁTICA

LAVARSE

(yo)	me lavo
(él, ella)	se lava

VESTIRSE

(yo)	me visto
(él, ella)	se viste

IR

(yo)	**voy**
(él, ella)	**va**

SALIR

(yo)	salgo
(él, ella)	sale

⇢ Gramática, p. **90, 91**
⇢ Cuaderno, p. **44, 45**

2 **¿Y TÚ?** ¿Qué haces por la mañana?
Coméntalo con un/a compañero/a.

- *Por la mañana, yo primero desayuno y después me ducho.*
- *Pues yo primero preparo la mochila y luego…*

3 Observa estas cosas que se comen en México para desayunar.
¿Y TÚ? ¿Qué desayunas?

Cuad. p. 44

pan dulce

gelatina

café con leche

fruta

cereales

¿SABES QUE…?

En México hay muchas variedades de pan dulce. Es un producto muy típico y se come casi todos los días en el desayuno o la cena.

POR LA TARDE Y POR LA NOCHE

→ Palabras, p. 92
→ Cuaderno, p. 43

  1 Lee **este texto y** responde.

> 1 –Papá, estoy harta. En mi vida todas las cosas que pasan son
> normales: me levanto, desayuno, voy al colegio, camino, vuelvo
> a casa, hablo contigo, ceno, duermo, me levanto y vuelta a
> empezar.
>
> 5 –Querida hija: todo eso que tú ves como sucesos corrientes son,
> en realidad, hechos extraordinarios, porque estás viva.
> Y estar viva, Susana, es lo más especial y raro que puede pasarte.
>
> Adaptado de Juan Carlos Ortega, *Cuentos para Ulises* (2011)

a. ¿Qué le pasa a Susana?

b. ¿Qué adjetivo resume la opinión de Susana sobre su vida? ¿Y la opinión de su padre?

  2 Marca **las actividades cotidianas que hace Susana después del colegio.**

- ☒ **a.** hablar con su familia
- ☐ **b.** entrar en redes sociales
- ☐ **c.** ordenar la habitación
- ☐ **d.** chatear con amigos
- ☐ **e.** ver la tele
- ☐ **f.** dormir
- ☐ **g.** cenar
- ☐ **h.** escuchar música
- ☐ **i.** hacer los deberes

MIS PALABRAS

por la mañana
por la tarde
por la noche

MI GRAMÁTICA

EL PRESENTE IRREG.

VER
(yo)	veo
(tú)	ves
(él, ella)	ve

ACOSTARSE [o → ue]:
(yo)	me acuesto
(tú)	te acuestas
(él, ella)	se acuesta

DORMIR y VOLVER:
Tienen también el cambio [o → ue]

MERENDAR [e → ie]:
(yo)	meriendo
(tú)	meriendas
(él, ella)	merienda

→ Gramática, p. 90
→ Cuaderno, p. 44, 45

   3 ¿Y TÚ? **¿Haces estas cosas todos los días?** Completa.

Cuad. p. 43

| todos los días… | casi todos los días… | una o dos veces por semana… |
| ceno, | | |

4 ¿Y TÚ? Escribe **qué haces cuando vuelves a casa, por la tarde y por la noche.**

Por la tarde, primero meriendo…

¿SABES QUE…?

La merienda es una comida ligera que se hace a media tarde.

 EL JUEGO DEL MIMO. Un/a compañero/a representa con gestos una actividad cotidiana. Quien la adivina representa otra acción.

Taller de lengua 1

UNA MAÑANA MUY ESPECIAL → p. 97

EL HORARIO DE XIMENA

 1 **Lee** el horario de Ximena.
Corrige las frases que no son verdad.

En la clase de Ximena...

a. los miércoles tienen Educación Física de once y media a doce y veinte.

b. tienen recreo todos los días a las diez.

c. los lunes tienen Inglés de una y media a tres.

d. los jueves y los viernes comen a las doce.

	LUNES	MARTES	MIÉRCOLES	JUEVES	VIERNES	
7:00-7:50	Lengua	Inglés	Ciencias Naturales	Historia	Matemáticas	
7:50-8:40	Educación Musical	Matemáticas	Tecnología	Lengua	Lengua	
8:40-9:30	Matemáticas	Historia	Lengua	Inglés	Física y Química	POR LA MAÑANA
9:30-9:50			RECREO			
9:50-10:40	Física y Química	Informática	Historia	Artes	Inglés	
10:40-11:30	Inglés	Tecnología	Informática	Ciencias Naturales	Artes	
11:30-12:20	Educación Física	Formación Cívica y Ética	Educación Física	Educación Musical	Formación Cívica y Ética	
12:20-13:30			COMIDA			AL MEDIODÍA
13:30-15:00	Taller	Taller	Tutoría	Taller	Taller	POR LA TARDE

 2 **Comparad** vuestra escuela con la de Ximena.

a. ¿A qué curso vais? *Ximena va a primero de Secundaria y nosotros vamos a...*

b. ¿Cuánto tiempo de recreo tenéis?

c. ¿A qué hora termináis las clases?

d. ¿Qué días vais a la escuela?

e. ¿Cuántas lenguas estudiáis?

MI GRAMÁTICA

IR

(él, ella)	va
(nosotros/as)	vamos
(vosotros/as)	vais

--> Gramática, p. **91**

 3 **¿Qué os sorprende del horario de Ximena?**

• *Que empieza las clases muy temprano* por la mañana.

○ *Y también que...*

¡OJO!

por la mañana
por la tarde
por la noche
al mediodía

NUESTRO HORARIO

1 Entre todos, traducid al español los nombres de vuestras asignaturas.

Cuad. p. 47

- • *Profe, Physics es Física, ¿no?*
- ○ *¡Exacto!*
- • *Y ¿cómo se dice...?*

2 Describe en español tu horario de la escuela de un día de la semana.
Escribe las horas también en letras.

De ocho y media a nueve y media... ....
....
....
....
....

→ Gramática, p. 89
→ Cuaderno, p. 49

MI GRAMÁTICA

9:00	las nueve
9:15	las nueve y cuarto
9:30	las nueve y media
9:45	las diez menos cuarto

1:00 / 13:00 la una
~~las trece~~

14:00-16:00
de dos **a** cuatro
~~**de** catorce **a** dieciséis~~

¿A qué hora cenas?
A las nueve.

EL JUEGO DEL HORARIO. En parejas, uno/a dice el día y la hora de una asignatura y el/la compañero/a tiene que recordarla lo más rápido posible.

05:27

Bip Bip Bip Bip Bip

Los miércoles de diez a once menos diez tenemos...

¡Matemáticas!

MI GRAMÁTICA

MERENDAR

(yo)	meriendo
(tú)	meriendas
(él, ella)	merienda

EMPEZAR

Se conjuga como **merendar**.

→ Gramática, p. 90

---

3 **¿Y TÚ?** Escribe a qué hora haces normalmente estas actividades.

a. Levantarte → *Me levanto a las siete.* ....

b. Desayunar → ....

c. Empezar las clases → ....

d. Comer → ....

e. Merendar → ....

f. Acostarte → ....

Taller de lengua 2

UN DÍA
HORRIBLE → p. 97

ACTIVIDADES EXTRAESCOLARES

1 Lee **el texto. ¿Quién(es) hace(n) estas cosas?**

a. Hace deporte.

c. Estudia una lengua.

b. Toca un instrumento.

d. Baila.

MIS PALABRAS

ir **a** piano, **a** fútbol...

jugar **con** la computadora / el ordenador

jugar **al** baloncesto, **al** vóleibol

hacer gimnasia, yoga

ver una serie

→ Palabras, p. **92**
→ Cuaderno, p. **53**

Así es la vida de tres adolescentes mexicanos todos los días...

¡al salir de clase!

María   Diego   Ada

Yo tengo taller de matemáticas los lunes, y los martes y los jueves voy a fútbol. Los otros días, normalmente voy a mi casa o a casa de alguna amiga.

Yo voy a francés dos veces por semana, y un día a clase de guitarra. Cuando no tengo clase, juego en la computadora. Y cuando tengo que hacer la tarea, la hago, claro.

Yo voy a danza los miércoles y a aikido los lunes y los jueves. Si no tengo nada, veo una serie en casa, con mi hermana.

MI GRAMÁTICA

JUGAR

(yo)	**jue**go
(tú)	**jue**gas
(él, ella)	**jue**ga

→ Gramática, p. **90**
→ Cuaderno, p. **53**

 2 Lee **otra vez el texto.**
Di **si tienes algo en común con ellos.**

- *Yo también* voy a danza*, pero los lunes.*
- *Yo* juego con la compu*, como Diego.*

 EL JUEGO DE LA VERDAD. Escribe tres actividades que haces fuera de la escuela: dos ciertas y una inventada. Luego léelas: tus compañeros/as tienen que adivinar cuál es la falsa.

Yo voy a clases de chino, hago surf y escucho música.

¡¡Falso!! No vas a clases de chino.

Sí, ¡sí que voy!

¡VERDAD!
¡FALSO!

TIEMPO LIBRE

1 **Mira** el vídeo sobre las actividades de tiempo libre.
Marca las dos actividades preferidas por estos
estudiantes mexicanos.

↑ *¿Qué haces en tu tiempo libre?*,
Universidad Autónoma de Guadalajara, México (2013)

VÍDEO
DVD 6

☐ hacer ejercicio   ☐ andar en bicicleta
☐ ir al cine   ☐ salir con amigos
☐ leer   ☐ pasear por la ciudad

2 **Mira** el reportaje otra vez.
Añade tres actividades de tiempo libre que nombran
en el vídeo a la lista de la actividad anterior.

....
....
....

3 **¿Y TÚ?** ¿Qué haces en tu tiempo libre?
Coméntalo con un/a compañero/a y haced una lista.

Yo también salgo con mis amigos...

4 **¿Y TÚ?** ¿Con qué frecuencia haces las actividades que
nombran en el vídeo? **Escríbelo.**

a. Todos los días → ....

b. Mucho → ....

c. A veces → ....

d. Casi nunca → ....

e. Nunca → ....

¿SABES QUE...?

En general, los
500 millones de
hispanohablantes
se entienden
entre ellos
sin problemas.
Por ejemplo,
en México,
normalmente,
dicen andar
en bici, y en
España, ir en
bici; o en la
mañana en México
y por la mañana
en España.

RECUERDA

SALIR
salgo, sales, sale...
⟶ Cuaderno, p. **53**

MI GRAMÁTICA

LA FRECUENCIA

siempre
todos los días
mucho
a veces
casi nunca
nunca

Una/dos/tres veces
por semana/mes

⟶ Gramática, p. **88**
⟶ Cuaderno, p. **52**

Taller de lengua 3

**¡ACIERTA
Y GANA!** ⟶ p. 97

LA FRECUENCIA

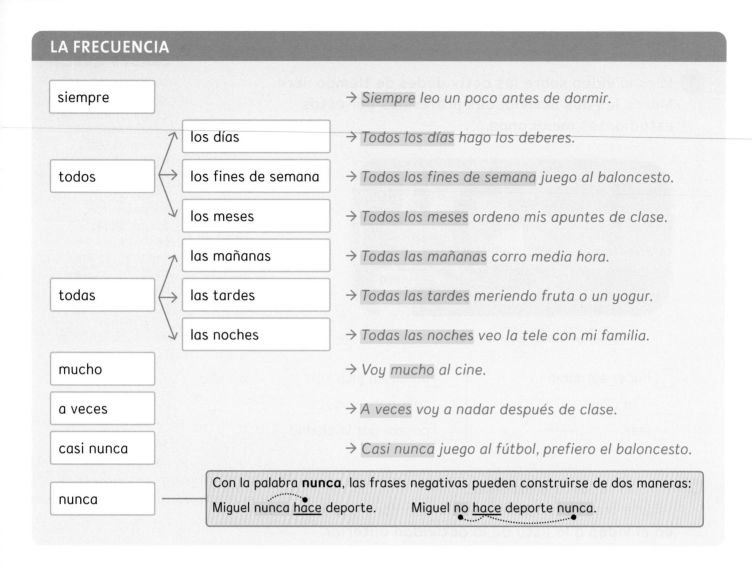

| siempre | → *Siempre leo un poco antes de dormir.* |

todos	los días	→ *Todos los días hago los deberes.*
	los fines de semana	→ *Todos los fines de semana juego al baloncesto.*
	los meses	→ *Todos los meses ordeno mis apuntes de clase.*

todas	las mañanas	→ *Todas las mañanas corro media hora.*
	las tardes	→ *Todas las tardes meriendo fruta o un yogur.*
	las noches	→ *Todas las noches veo la tele con mi familia.*

mucho	→ *Voy mucho al cine.*
a veces	→ *A veces voy a nadar después de clase.*
casi nunca	→ *Casi nunca juego al fútbol, prefiero el baloncesto.*

nunca

Con la palabra **nunca**, las frases negativas pueden construirse de dos maneras:
Miguel nunca hace deporte.   Miguel no hace deporte nunca.

1 Responde **con frases completas. ¿Con qué frecuencia...**

a. escuchas música?

c. ves series o películas?

b. lees?

d. haces deporte?

LOS ARTÍCULOS Y LOS DÍAS DE LA SEMANA

● ¿Qué haces los sábados?

○ Me levanto tarde y leo.

los sábados = todos los sábados

● ¿Qué día tenemos el examen?

○ El viernes a las diez.

el viernes = el próximo viernes o el pasado viernes

2 Elige **la forma correcta.**

a. El / los martes es mi cumpleaños.

b. El / los lunes y el / los viernes siempre voy a kárate.

c. Los / ø domingos voy al cine.

d. El / ø miércoles Felipe tiene un examen de piano.

e. Lupe siempre visita a sus abuelos el / los sábados.

LA HORA

9:00	las nueve		
9:10	las nueve	→ y →	diez
9:15	las nueve	→ y →	cuarto
9:20	las nueve	→ y →	veinte
9:30	las nueve	→ y →	media
9:40	las diez	→ menos →	veinte
9:45	las diez	→ menos →	cuarto
9:50	las diez	→ menos →	diez

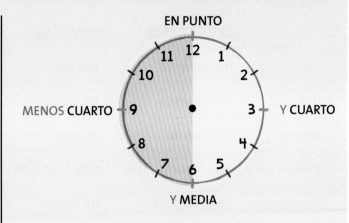

- ¿A qué hora comes normalmente?
- A las dos y cuarto.

- ¿Cuándo tienes clase de Educación Física?
- De tres a cuatro y media.

3 Escribe **las siguientes horas en letras.**

a `07:05` → *las...*

b `11:30` →

c `18:25` →

d `08:45` →

e `12:20` →

f `21:40` →

g `10:15` →

h `13:10` →

4 Escucha **y escribe las horas en cifras.**

pistas 76•81

a. ....

b. ....

c. ....

d. ....

e. ....

f. ....

5 Responde **a estas preguntas escribiendo las horas en letras.**

a. ¿A qué hora termina la clase de Español?
....

b. ¿Cuándo tienes clase de Educación Física?
....

c. ¿Cuándo tienes recreo?
....

d. ¿A qué hora vuelves a casa por la tarde?
....

e. ¿A qué hora empieza tu serie favorita?
....

f. ¿A qué hora te acuestas los sábados?
....

LOS VERBOS REFLEXIVOS

	LEVANTARSE	LAVARSE	BAÑARSE
(yo)	**me** levanto	**me** lavo	
(tú)	**te** levantas	**te** lavas	
(él, ella)	**se** levanta	**se** lava	
(nosotros/as)	**nos** levantamos	**nos** lavamos	
(vosotros/as)	**os** levantáis	**os** laváis	
(ellos, ellas)	**se** levantan	**se** lavan	

6 Completa **el verbo** bañarse **en la tabla de arriba.**

7 Completa **con el pronombre reflexivo adecuado.**

a. ● ¿A qué hora _____ acostáis?

   ○ Yo, a las 22:30.

b. ● María, ¿tú _____ duchas por la mañana o por la noche?

   ○ Yo prefiero por la mañana, pero mi hermano _____ ducha por la noche.

c. Siempre _____ lavo las manos antes de comer.

d. Los sábados mi hermana y yo _____ levantamos a las 8.

e. Jon y Begoña _____ lavan los dientes tres veces al día.

VERBOS IRREGULARES EN PRESENTE

	e → ie	o → ue	e → i
	MERENDAR	**DORMIR**	**VESTIRSE**
(yo)	meriendo	duermo	**me** visto
(tú)	meriendas	duermes	**te** vistes
(él, ella)	merienda	duerme	**se** viste
(nosotros/as)	merendamos	dormimos	**nos** vestimos
(vosotros/as)	merendáis	dormís	**os** vestís
(ellos, ellas)	meriendan	duermen	**se** visten
Tienen los mismos cambios:	despertarse empezar preferir	volver acostarse jugar	pedir

8 Completa **estas tablas de verbos.**

PREFERIR			
(yo)		(nosotros/as)	
(tú)		(vosotros/as)	
(él, ella)		(ellos, ellas)	

JUGAR			
(yo)		(nosotros/as)	
(tú)		(vosotros/as)	
(él, ella)		(ellos, ellas)	

9 Completa **estas frases con las formas verbales adecuadas.**

a. Sergio (DESPERTARSE) .... a las 7 todas las mañanas, luego (LEVANTARSE) ....
y (VESTIRSE) ....

b. Luego (PASEAR) .... a su perra Tara y (HACER) .... los deberes.

c. Por la tarde, Sergio y su hermana Sandra (VOLVER) .... a casa a las 18:30 h
y (CENAR) .... a las 20 h.

d. Por la noche, los dos hermanos (VER) .... la tele o (JUGAR) ....
con la consola.

e. A las 22, Sergio, Sandra y Tara (ACOSTARSE) .... Tara (DORMIR) ....
en el salón.

VERBOS IRREGULARES EN EL PRESENTE: **IR, VER** Y **HACER**

	IR	VER	HACER
(yo)	voy	veo	hago
(tú)	vas	ves	haces
(él, ella)	va	ve	hace
(nosotros/as)	vamos	vemos	hacemos
(vosotros/as)	vais	veis	hacéis
(ellos, ellas)	van	ven	hacen

Los viernes por la tarde voy al cine.

Maika y yo vamos a la piscina todas las semanas.

al gimnasio
a la escuela

10 Haz **el crucigrama con las formas adecuadas de** ver, ir **y** pedir.

VERTICAL

❶ Tú (ver).

❷ Yo (pedir).

❸ Vosotras (ir).

HORIZONTAL

❹ Yo (ver).

❺ Él (pedir).

❻ Vosotros (pedir).

❼ Yo (ir).

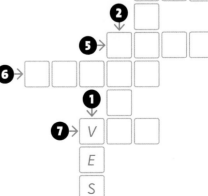

MIS PALABRAS

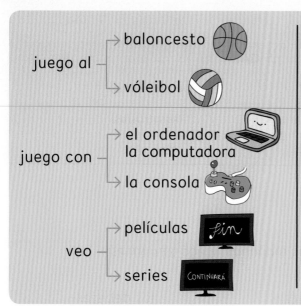

juego al
→ baloncesto
→ vóleibol

juego con
→ el ordenador / la computadora
→ la consola

veo
→ películas
→ series

salgo con amigos

voy a la piscina / la alberca

voy al
→ cine
→ gimnasio / gym

lunes
martes
miércoles
jueves
viernes
sábado] el fin de
domingo] semana

LOS DÍAS DE LA SEMANA

EL TIEMPO LIBRE

MI

LAS ACTIVIDADES COTIDIANAS

POR LA MAÑANA

- me levanto
- me ducho / me baño
- me visto
- desayuno
- preparo la mochila
- voy al cole / a la escuela

POR LA TARDE

- vuelvo a casa
- meriendo
- hago los deberes

POR LA NOCHE

- ceno
- veo la tele
- me acuesto

A. LOS DÍAS DE LA SEMANA

1 Ordena **las letras de estos días de la semana.**

- **a.** vuesej →
- **b.** neslu →
- **c.** mondigo →
- **d.** locimérse →
- **e.** ábsoda →
- **f.** ervsien →
- **g.** tamrse →

2 Ordena **los días de la semana.**

B. LAS ACTIVIDADES EXTRAESCOLARES

3 Completa **con cosas que haces tú.**

Jugar al ....

Jugar con ....

Salir con ....

Ir a ....

Ir al ....

Ver ....

Hacer ....

por la mañana → 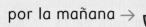 desayunar
el desayuno

al mediodía → comer
la comida
el almuerzo

por la tarde → merendar
la merienda

por la noche → cenar
la cena

EL DESAYUNO

 el pan dulce
 la gelatina
 el zumo/jugo de naranja
 la mermelada
 la mantequilla

 la leche
 los cereales
 la fruta
 el café (con leche)
 las galletas

SEMANA

LAS COMIDAS DEL DÍA

LAS ASIGNATURAS

Matemáticas
Lengua
Inglés
Ciencias Naturales
Física y Química
Historia

Artes
Educación Musical
Informática
Tecnología
Educación Cívica y Ética
Educación Física

LAS ACTIVIDADES EXTRAESCOLARES

voy a →

inglés
dibujo
fútbol
natación

guitarra
danza
taller de...
música

C. LAS ACTIVIDADES COTIDIANAS

4 Di **qué hace Lucho.** Utiliza **primero, luego** y **después.**

 **a**

 **b**

 **c**

 **d**

5 ¡Crea tu mapa mental! **Escribe las palabras de la unidad que te interesan y añade fotos y dibujos para ilustrar las más difíciles.**

LA VENTANA
~ PERIÓDICO DIGITAL ~

En este número de *La Ventana* hablamos de una actividad que se hace en la ciudad de Veracruz.

ESCUELA DE NIÑOS VOLADORES (PAPANTLA, VERACRUZ)

1 La ceremonia de los voladores es una danza asociada a la fertilidad que se remonta a la época prehispánica. Cinco personas suben por un poste de entre 18 y 40 metros de alto
5 y cuatro de ellas se tiran y giran mientras la cuerda a la que están atadas se desenrolla y van bajando poco a poco hasta el suelo.

En 2006 se inauguró la Escuela de Niños Voladores, en el Parque de Tikilhsukut (Papantla
10 de Olarte, Veracruz) que recibe cada sábado a niños y jóvenes que quieren seguir con esta tradición. Además, en esta escuela aprenden la lengua totonaca y su cultura.

↑ Foto: Alexandra Cárdenas

1 Busca **en internet un vídeo sobre la tradición de los voladores en México y coméntalo con tus compañeros.**

  a. ¿Os gustaría ser alumno en esta escuela de niños voladores? ¿Por qué?

  b. ¿Existe alguna tradición parecida en vuestro país?

2 Lee **el texto sobre el fandango y responde a las preguntas.**

  a. ¿Cuál es el origen del fandango?

  b. ¿Qué actividades se hacen?

  c. ¿Quiénes participan en el fandango?

Por Ximena corresponsal
desde Veracruz (México).

Veracruz

MÉXICO

EL FANDANGO: MEZCLA DE CULTURAS

1 El fandango es una fiesta tradicional que tiene raíces españolas, africanas e indígenas mexicanas. Se celebra principalmente en pueblos y ciudades del Estado de Veracruz.

5 En un fandango, la gente se reúne en la calle para tocar música tradicional, cantar y bailar. Niños, jóvenes y adultos bailan en parejas o en grupos, acompañando la música con el sonido de sus zapatos (zapateado). La fiesta dura muchas horas y a veces llega hasta el día siguiente.

⬆ Fandango en Jáltipan, Veracruz
Foto: www.eleconomista.com.mx

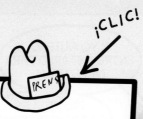
¡CLIC!

¡Eres periodista!

 1. Busca en internet qué otras actividades se pueden hacer en Veracruz.

2. Escribe una lista y busca imágenes. ¿Cuáles de estas actividades se pueden hacer en tu ciudad o en tu región?

3. Prepara una presentación y explica a tus compañeros/as lo que has descubierto sobre Veracruz y sobre tu ciudad o región.

CUESTIONARIO CULTURAL
¡Demuestra cuánto sabes!

En México...

→ La Educación Secundaria se cursa en...

   a. CUATRO AÑOS.
   b. TRES AÑOS.
   c. DOS AÑOS.

→ Hay muchos tipos de _____, que se comen por la mañana o por la noche.

   a. pan dulce
   b. sopas
   c. postres

→ El fandango es...

   a. una actividad acuática.
   b. una fiesta popular.
   c. una comida típica.

Las actividades extraescolares

→ Busca en la unidad todas las actividades extraescolares y haz una lista con las que más te gustan.

México

→ Investiga en internet dónde está el Estado de Veracruz y márcalo en el mapa.

1. ¿Qué problema tienen los tres amigos?

2. ¿En qué los puede ayudar el señor Juan?

3. ¿Qué crees que pueden aportar las personas mayores?

Taller 1 · LECCIÓN 1

UNA MAÑANA MUY ESPECIAL

 Alternativa en papel
Haz un póster con fotos.

Nos preparamos

1 Imagina **qué hace por la mañana** alguien muy diferente a ti.
  • un personaje de ficción o famoso
  • tu mascota
  • …

Lo creamos

2 En una presentación para ordenador, pon una **foto del personaje** elegido.

3 Pon un **título** y **escribe** en la presentación **cinco cosas** que hace por la mañana.

Lo presentamos

4 Subid todas las presentaciones al blog de la clase.

 Usa: **primero, luego, después…**

Taller 2 · LECCIÓN 2

UN DÍA HORRIBLE

Alternativa digital
Crea una presentación digital.

Nos preparamos

1 ¿Sabes lo que es **un día horrible**? Piensa en las asignaturas que te gustan menos, en la comida que no te gusta… Toma notas.

Lo creamos

2 **Crea un horario** con esta información:
  • las horas
  • los deberes
  • otros
  • las asignaturas
  • la comida

Lo presentamos

3 Presenta tu horario y **explica** los detalles.

¡Votamos!

4 **Elegid** por votación **el peor día**: ¡el día más horrible de la clase!

Me levanto a las seis. Desayuno verdura y empiezo el cole a las…

Taller 3 · LECCIÓN 3

¡ACIERTA Y GANA!

Lo creamos

1 Por grupos, **dibujad un tablero** como este con imágenes de actividades y palabras para expresar frecuencia. Podéis poner fotografías o dibujar las actividades.

el tablero

Todos los días · Mucho · Casi nunca · Siempre · A veces · Casi nunca · Nunca · Todos los días · SALIDA · ¡CAMPEÓN! ¡CAMPEONA!

Jugamos

2 Cada jugador/a tira los dados. Estas son las **reglas**:
  • Si el/la jugador/a cae en una casilla que indica frecuencia, dice algo que hace con esa frecuencia.
  • Si cae en una casilla de actividad, dice con qué frecuencia la hace.
  • Si la frase que dice es correcta, se queda en la casilla y otro/a jugador/a sigue. Si no es correcta, vuelve a la posición anterior.

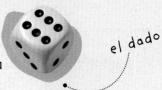 el dado

UNIDAD 5
Mi barrio

↑ Praza da Leña (Plaza de la Leña), Pontevedra

LECCIÓN 1

Hablo de... mi ciudad y de mi barrio.

• Los lugares públicos

• Las tiendas

• La localización (2)

• Los verbos **hay** y **estar**

Taller 1 Hacemos un vídeo para presentar nuestro barrio o pueblo.

LECCIÓN 2

Hablo de... las diferencias entre el pueblo y la ciudad.

• Los cuantificadores: **muy**, **mucho/a/os/as**, **poco/a/os/as**

• La comparación

• Los números (3)

• La descripción de lugares

• Los medios de transporte

Taller 2 Creo una nube de palabras sobre la ciudad o sobre el campo.

LECCIÓN 3

Hablo de... las normas de convivencia en la ciudad.

• Las normas de convivencia

• La obligación, la prohibición y el permiso

Taller 3 Creamos nuevas normas para nuestra escuela.

LA VENTANA
~PERIÓDICO DIGITAL~

Descubro el centro peatonal de Pontevedra y el Camino de Santiago.

SOMOS CIUDADANOS

Brais y sus amigos buscan soluciones para mejorar la accesibilidad a lugares públicos.

En esta unidad nos habla Brais desde Pontevedra (España).

Brais
¡Hola! Voy a la biblioteca a hacer un trabajo.
09:30

Laura
¡Yo también! Y está a media hora en autobús, ¡muy lejos! 😵
10:00

Laura
Seguro que la biblio de Pontevedra está a 5 minutos andando de tu casa. 😊
10:03

Brais
Bueno, a 5 minutos RODANDO... 😊
10:30

Laura
¡Ja, ja! Claro, es verdad. 😜
10:31

¡EN MARCHA!

1 Lee los mensajes y di qué plano corresponde a la ciudad de Brais y cuál a la ciudad de Laura.

❶
→ [ ]

❷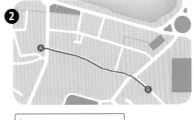
→ [ ]

¿SABES QUE...?
En Galicia, muchos nombres de calles y plazas están escritos en gallego: *praza da Leña* (plaza de la Leña), *rúa da Oliva* (calle de la Oliva).

2 Escucha la entrevista a Brais.
Marca los elementos que sirven para describir Pontevedra.

pista 82

[ ] es muy grande   [ ] es pequeña   [ ] es muy turística

[ ] es tranquila   [ ] tiene un centro histórico

[ ] no tiene muchas cosas   [ ] tiene de todo

¿QUÉ HAY EN TU BARRIO?

Cuad. p. 56

1 Lee **este reportaje y** subraya **los nombres de lugares. Puedes usar un diccionario.**

Barrios de... **PONTEVEDRA**

Sandra, 23 años. Yo vivo en la zona vieja, en el centro. Hay muchas tiendas: de ropa y de regalos, librerías... Y también restaurantes y bares, claro. Y hay un mercado. Está muy bien.

Berto, 30 años. Yo vivo en la zona de la Barca. Tiene todo lo que necesito: hay supermercados, farmacias... Y, además, al lado del río hay un paseo con carril bici.

Olaia, 12 años. Yo vivo en Campolongo. Cerca de mi casa hay bares, panaderías, un quiosco... Pero no hay tiendas bonitas. Eso sí, hay un parque muy grande.

¿SABES QUE...?

Los quioscos son pequeños puestos en la calle. Venden periódicos, revistas, chucherías...

2 ¿**Tu barrio tiene cosas en común con alguno de los tres anteriores?** Explícalo.

Yo también vivo al lado del río, como Berto.

3 ¿**Dónde puedes hacer estas cosas?**

a. comprar un cruasán → *en una panadería*

b. comprar un pantalón → ....

c. comprar medicamentos → ....

d. tomar un refresco → ....

4 ¿**Y TÚ?** Di **qué no hay en tu barrio.**

En mi barrio no hay...

RECUERDA

(no) hay ø piscina
(no) hay ø panaderías

⇢ Gramática, p. **72**
⇢ Cuaderno, p. **56**

5 Escucha **a Brais y a Aurora.** Marca **en la tabla qué tienen que hacer hoy.**

pista 83

Escucha **de nuevo y** escribe **a qué lugares van.**

	BRAIS	AURORA	LOS DOS	¿DÓNDE?
a. Hacer un trabajo.			x	*la biblioteca*
b. Comprar aspirinas.				
c. Comprar pan.				
d. Comprar una revista y chuches.				
e. Ver a los amigos.				

¿DÓNDE ESTÁ LA PLAZA DE BARCELOS?

1 Mira **el mapa de Pontevedra.**
¿Qué frase dice Brais? ¿Y Aurora?

Cuad. p. 57

Vivo cerca del *campo de la Juventud.* →
Yo vivo lejos de *la universidad.* →

MI GRAMÁTICA

ESTAR

(él, ella)   **está**

(ellos, ellas)   **están**

⤳ Gramática, p. **106**

RECUERDA

delante de mi casa

detrás de la universidad

entre el río **y** la biblioteca

⤳ Gramática, p. **73**
⤳ Cuaderno, p. **58**

MIS PALABRAS

al lado (de)
a la derecha (de)
a la izquierda (de)
en
lejos de
cerca de
al final de

la plaza
la calle
la avenida

⤳ Palabras, p. **110**
⤳ Cuaderno, p. **58**

---

2 En parejas, leed **estas frases y** deducid **el significado de las palabras destacadas.**

Cuad. p. 58

a. El café Real está **a la derecha de** la farmacia Couto.

b. La casa de Aurora está **al lado de** la heladería Suso.

c. El puente de Santiago está **al final de** la calle de Aurora.

d. La farmacia Couto está **entre** el café Real **y** la panadería Graciela.

3 Busca **estos lugares en el mapa y** di **dónde están.**

a. El restaurante Lérez está al final de *la calle Cobián.*

b. La farmacia Couto está entre _____ y _____

c. El quiosco Pepe está en _____

d. La universidad está cerca de _____

4 **¿Y TÚ?** Di **qué cosas hay en tu barrio y dónde están.**
En mi barrio hay*...,* está*...*

Taller de lengua 1

ESTE ES MI BARRIO → p. 115

¿PUEBLO O CIUDAD?

1 Mira **estas fotografías.**
¿Cuál corresponde a un pueblo? ¿Y a una ciudad?

1

Barcelona (Cataluña)

2

Biduedo (Galicia)

La fotografía 1 es...

2 **Completa las frases para describir los lugares de las fotos.**

Cuad.
p. 60, 62

a. En _____Barcelona_____ hay 69 (sesenta y nueve) hospitales.

b. _____ tiene menos de 50 (cincuenta) habitantes.

c. En _____ hay muchos coches y contaminación.

d. En _____ puedes hacer muchas actividades culturales.

e. En _____ puedes hacer deporte en la naturaleza.

f. En _____ hay pocos servicios.

g. En _____ hay poco ruido.

h. _____ es un lugar muy tranquilo.

i. En _____ hay muchas tiendas.

j. En _____ hay metro y autobuses.

EL JUEGO DE LOS NÚMEROS. Una persona sale a la pizarra, escribe un número del 32 al 99 y señala a un/a compañero/a, que tiene que decirlo en voz alta. Si lo dice bien, sale a la pizarra para seguir jugando.

3 **¿Y TÚ? ¿Cómo es tu pueblo o ciudad?** Descríbelo.

Está cerca de...

Tiene pocos...

Puedes...

Es un lugar...

Hay muchos...

MI GRAMÁTICA

muy tranquilo/a

mucho ruido
mucha prisa
muchos servicios
muchas tiendas

poco turismo
poca contaminación
pocos edificios
pocas casas

⟶ Gramática, p. **107**
⟶ Cuaderno, p. **62**

MIS PALABRAS

32 treinta y dos
40 cuarenta
70 setenta
80 ochenta
90 noventa

⟶ Palabras, p. **111**
⟶ Cuaderno, p. **61**

COMPARTIMOS EL MUNDO

En Galicia hay muchas aldeas: poblaciones muy pequeñas, a veces con menos de 50 habitantes. En ellas viven agricultores y ganaderos y, normalmente, no hay tiendas, bares, escuelas...

Y en tu país, ¿cómo son los pueblos? ¿Qué se puede hacer en ellos?

RECUERDA

PODER se conjuga en presente como **DORMIR: puedo, puedes, puede...**

⟶ Gramática, p. **90**
⟶ Cuaderno, p. **67**

VENTAJAS E INCONVENIENTES

1 Lee **el texto y** responde.

Cuad.
p. 60

← → ↻   ⌂ ≡

Crecer en el campo

Ventajas

1 En los pueblos todo el mundo se conoce, la gente es más amable que en la ciudad y se saluda por la calle.

No hay tantos peligros (atracos, robos, etc.) y los niños tienen más libertad. Pueden ir solos al colegio, a las

5 actividades extraescolares o a casa de los amigos. También pueden ir en bicicleta sin problema porque hay menos coches. Además, no hay tanta contaminación y están en contacto con la naturaleza.

Inconvenientes

9 No hay tantas actividades culturales, hay menos cines o teatros, y para estudiar en la universidad hay que ir a la ciudad.

Otra desventaja es la falta de privacidad. Los cotilleos son muy frecuentes y todo el mundo conoce tu vida.

↑ Adaptado de www.bekiapadres.com (2015)

a. ¿Qué cosas pueden hacer los niños que viven en un pueblo?

....

b. ¿A dónde van si quieren estudiar en la universidad? ....

....

c. ¿Por qué hay menos privacidad en un pueblo? ....

....

2 Escribe **frases para comparar la vida en un pueblo y en una ciudad.**

Cuad.
p. 63

a. ruido → *En un pueblo hay menos ruido que en una ciudad.*

b. hospitales → ....

c. tiendas → ....

d. divertido/a → ....

e. contaminación → ....

f. estresante → ....

3 Escribe **un pequeño texto sobre las ventajas y los inconvenientes de vivir en una ciudad.**

MI GRAMÁTICA

LA COMPARACIÓN

+/−
más/menos coches **que**
más/menos tranquilo **que**

=
tanto ruido **como**
tanta contaminación **como**
tantos peligros **como**
tantas actividades **como**

tan bonito **como**

irregulares
~~más bueno~~ → **mejor**
~~más malo~~ → **peor**

⇥ Gramática, p. **108**
⇥ Cuaderno, p. **63**

Taller de lengua 2

UNA NUBE DE PALABRAS → p. 115

NUESTRAS RESPONSABILIDADES

1 Mira **este cartel. ¿Cuál es su finalidad?** Escoge **la respuesta correcta.**

a. ☐ Es una campaña para mantener las calles limpias.

b. ☐ Es una campaña para promover la adopción de perros abandonados.

c. ☐ Es un anuncio de comida para perros.

2 **¿Existen carteles parecidos en tu ciudad?** Explícalo.

3 Relaciona **estas señales con su mensaje.**

Cuad.
p. **64, 65**

↑ Ayuntamiento de Salamanca

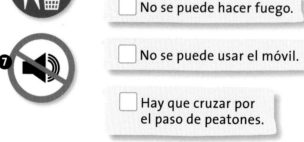

☐ Hay que utilizar las papeleras.

☐ No se puede hacer ruido.

☐ No se puede hacer fuego.

☐ No se puede usar el móvil.

☐ Hay que cruzar por el paso de peatones.

☐ No se puede entrar con perros.

☐ No se puede comer.

MI GRAMÁTICA

LA OBLIGACIÓN, LA PROHIBICIÓN Y EL PERMISO

Se pued**e** entrar.

No se puede comer.

Hay que estar en silencio.

⤍ Gramática, p. **109**
⤍ Cuad., p. **64, 65**

4 **¿Dónde puedes encontrar estas señales?** Escríbelo.

No se puede hacer ruido: en la biblioteca, en...

5 **¿Y TÚ?** Di **qué cosas no se pueden hacer en un cine.**

HAY QUE RESPETAR LAS NORMAS

 1 Lee **las reglas de este parque de Pontevedra.**
Di **qué se puede hacer y qué no.**

Cuad. p. 66, 67

Parque A Saleta
Por favor, respeta estas reglas.

Por el bien de nuestro parque y por el bien de todos.

Está prohibido...	Es obligatorio...
✗ tirar basura.	✓ respetar las flores y los árboles.
✗ pisar el césped.	✓ recoger los excrementos de los perros.
✗ hacer grafitis.	✓ respetar el mobiliario urbano.
✗ ir en bicicleta o monopatín sobre el mobiliario urbano.	✓ usar los contenedores de reciclaje.
✗ ir en bicicleta fuera de los caminos señalizados.	✓ pasear con los perros atados.

a. Ir en bicicleta.
b. Tirar papeles.
c. Pasear perros.
d. Escribir tu nombre en los árboles.
e. Tomar el sol en el césped.
f. Ir en monopatín.

Se puede ir en bici, pero solo por los caminos señalizados.

MIS PALABRAS

estar permitido
estar prohibido
ser obligatorio

---> Palabras, p. 111
---> Cuaderno, p. 66, 67

 2 Escucha **a estas personas de Pontevedra.**
¿Qué reglas del parque no se respetan?

pistas 84 • 86

Hay personas que...

 3 **¿Qué normas hay en tu calle o en tu barrio?**
Habla **con un compañero/a y** encuentra **tres cosas iguales y tres diferentes.**

● *En mi calle no se puede ir en bici.*

o *En mi calle tampoco.*

 EL JUEGO DE LOS COMECOCOS. En parejas, fabricad un "comecocos" de papel y escribid acciones que se pueden o no se pueden hacer en la escuela, por ejemplo: "pintar las mesas". Uno/a manipula el "comecocos", y el / la otro/a responde si se puede o no se puede hacer esa acción.

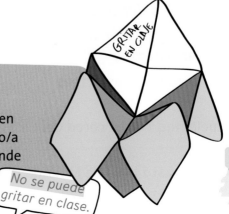

No se puede gritar en clase.

GRITAR EN CLASE

Taller de lengua 3

NUEVAS SEÑALES PARA LA ESCUELA --> p. 115

EL VERBO ESTAR

	ESTAR
(yo)	estoy
(tú)	estás
(él, ella, usted)	está
(nosotros/as)	estamos
(vosotros/as)	estáis
(ellos, ellas, ustedes)	están

El verbo **estar** sirve para ubicar en el espacio.

→ *Pedro está en su casa.*

La panadería está al final de la calle.

Mario y Paula están en el campo de fútbol.

Estar / Hay

Estar se usa con:

| nombres con artículo determinado |
| nombres con posesivo |
| nombres propios |

→ *La biblioteca está al lado de la escuela.*

→ *Mi casa está cerca del centro.*

→ *Pontevedra está en Galicia.*

Las frases con **estar** responden a la pregunta **¿dónde?**

Hay se usa con:

| artículos indeterminados |
| numerales |
| cuantificadores |
| nombres comunes sin artículo |

→ *Cerca de mi casa hay una cafetería.*

→ *En mi barrio hay dos parques.*

→ *En Pontevedra hay muchas plazas.*

→ *En mi barrio no hay bares.*

Las frases con **hay** responden a la pregunta **¿qué?**

---

1 Elige **la opción adecuada en cada caso.**

a. En Barcelona hay / está mucho tráfico.

b. ¿Dónde hay / está la tienda de regalos?

c. En mi ciudad no hay / están muchas instalaciones deportivas.

d. Cerca del mercado hay / está tres restaurantes.

e. Nuestra escuela hay / está cerca del ayuntamiento.

f. Pontevedra hay / está lejos de Madrid.

g. En mi barrio no hay / están parques.

h. • ¿Dónde hay / estás? No te veo.
   ○ Hay / Estoy a la derecha del quiosco.

MUY, MUCHO/A/OS/AS, POCO/A/OS/AS

- **muy** + adjetivo → *Vivo en una ciudad muy tranquila.*

- **mucho/a/os/as poco/a/os/as** + nombre → *En el centro hay muchas tiendas de ropa, pero pocos parques.*

- verbo + **mucho poco** → *Los fines de semana, Sara lee mucho.*
Eloy juega poco con la consola, no le gusta.

Cuando los adverbios **mucho** y **poco** acompañan al verbo, son invariables.

2 Completa **con muy o mucho/a/os/as.**

a. Al lado del pueblo hay ____muchos____ bosques.

b. Mi compañero <u>estudia</u> _____. Siempre saca buenas notas.

c. El centro comercial es _____ <u>grande</u> y tiene _____ <u>tiendas</u>.

d. Esta ciudad es _____ <u>peligrosa</u> para ir en bici. Hay _____ <u>coches</u>.

LA LOCALIZACIÓN

Hay un gusano **lejos de** la caja.

Hay un gusano **cerca de** la caja.

Hay un gusano **al lado de** la caja.

Hay un gusano **a la izquierda de** la caja.

Hay un gusano **a la derecha de** la caja.

3 Dibuja **en la tabla según las indicaciones.**

a. Un campo de fútbol a la derecha de la panadería.

b. Una farmacia a la izquierda del parque.

c. Una tienda de ropa al lado de la farmacia.

d. Una librería a la derecha del campo de fútbol.

e. Un bar a la derecha de la piscina.

f. Una vaca a la izquierda de la piscina.

LA COMPARACIÓN

• **De superioridad:**

| **más** | + adjetivo / + nombre | + que |

| verbo | + **más** | + que |

→ *Madrid es más grande que Pontevedra.*

→ *En Madrid hay más cines que en Pontevedra.*

→ *Tariq corre más que Lucía.*

• **De inferioridad:**

| **menos** | + adjetivo / + nombre | + que |

| verbo | + **menos** | + que |

→ *Pontevedra es menos ruidoso que Madrid.*

→ *En Pontevedra hay menos cines que en Madrid.*

. → *Laura lee menos que Brais.*

• **De igualdad:**

| **tanto/a/os/as** | + nombre | + como |

| **tan** | + adjetivo | + como |

| verbo | + **tanto** | + como |

→ *¡Aquí hay tantos coches como en el centro!*

→ *Esta ciudad es tan bonita como la capital.*

→ *Óscar come tanto como Ainara.*

Adjetivos:
más bueno/a/os/as ——→ **mejor/es**
más malo/a/os/as ——→ **peor/es**

Adverbios:
más bien ——→ **mejor/es**
más mal ——→ **peor/es**

La playa de la Lanzada es mejor que la de Silgar.
Brais dibuja peor que Aurora.

---

4 Mira **las infografías de estas dos ciudades inventadas y** compáralas.

SAN JOSÉ

Habitantes: 4.047
Superficie: 44,30 km²
Gatos: 156

Turistas/año: 54.006
Calidad **Buena** del aire: (47/50 puntos)
Carril bici: 15 km

SAN BLAS

Habitantes: 14.002
Superficie: 15,16 km²
Gatos: 2.678

Turistas/año: 13.050
Calidad **Regular** del aire: (25/50 puntos)
Carril bici: 15 km

a. ....

b. ....

c. ....

d. ....

e. ....

f. ....

LA OBLIGACIÓN, LA PROHIBICIÓN Y EL PERMISO

Permiso o posibilidad

| poder | + | infinitivo |

→ *Se puede comer chicle fuera de clase.*
  (Está permitido)
→ *En mi ciudad puedes ir a muchos espectáculos.*
  (Existe esa posibilidad)

Obligación

| tener que | + | infinitivo |
| hay que | + | infinitivo |

→ *Tienes que llegar temprano a la escuela.*
→ *Hay que cruzar por el paso de peatones.*

Prohibición

| no poder | + | infinitivo |

→ *En la biblioteca no se puede comer.*

---

5 Relaciona **cada imagen con la regla correspondiente.**

a. Tenemos que ir a clase todos los días. `2`
b. No se puede llevar mascotas al cole. ☐
c. Puedes comer en clase durante la pausa. ☐
d. En el gimnasio hay que llevar zapatillas de deporte. ☐

6 Completa **estas frases con hay que o no se puede.**

a. En mi clase, _no se puede_ jugar con el móvil.
b. _____ cruzar la calle por los pasos de peatones.
c. Dentro de mi escuela, _____ ir en bici.
d. _____ tirar los papeles en la papelera.
e. En mi ciudad, _____ ir en coche por el centro.
f. Para comprar medicamentos, _____ ir a una farmacia.

7 **¿Las frases a, c y e son verdad en tu caso?** Explícalo.

MIS PALABRAS

ruidoso/a ≠ tranquilo/a | el ruido
peligroso/a ≠ seguro/a | el peligro
contaminado/a ≠ limpio/a | la contaminación

LOS MEDIOS DE TRANSPORTE

 el coche

 el metro

 el autobús

HABLAR DE LUGARES

MI

LAS TIENDAS

 la librería

 la farmacia

 el supermercado

 el mercado

 la panadería

 el bar

 el quiosco

 la tienda de ropa

 el restaurante

 la cafetería

LOS SERVICIOS

 el ayuntamiento

 el hospital

 la biblioteca

 la universidad

 el museo

 la piscina

 el parque

 el campo de fútbol

 la calle

 la plaza

 el río

 el barrio

 la ciudad

 el pueblo

UN PUEBLO MUY PEQUEÑO ES UNA ALDEA.

TIENDAS Y SERVICIOS

1 Adivina **las palabras que corresponden a estas explicaciones.**

a. En este lugar, se puede comprar comida y también productos de limpieza.

S	U	P	E	R	M	E	R	C	A	D	O

b. Vamos a esta tienda para comprar pan.

P								

c. En esta tienda, venden medicamentos.

F							

d. En este lugar, venden revistas, periódicos y chicles, pero normalmente no hay libros.

Q							

e. En este lugar, se puede comprar todo tipo de comida fresca.

M						

5

30 treinta	33 treinta y tres	40 cuarenta	70 setenta
31 treinta y uno/a	34 treinta y cuatro	50 cincuenta	80 ochenta
32 treinta y dos	...	60 sesenta	90 noventa

LOS NÚMEROS

¡HAY QUE RESPETAR LAS NORMAS DE CONVIVENCIA!

LAS NORMAS

BARRIO

**HAY QUE...
ES OBLIGATORIO...**

 usar las papeleras

 cruzar por el paso de peatones

**NO SE PUEDE...
ESTÁ PROHIBIDO...**

 hacer ruido

 pisar el césped

 hacer fuego

 comer

**SE PUEDE...
ESTÁ PERMITIDO...**

 beber agua

 hacer un pícnic

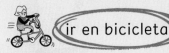 ir en bicicleta

 jugar a la pelota

¡NORMALMENTE DECIMOS IR EN BICI!

NÚMEROS DEL 30 AL 99

2 Piensa **tres lugares más y descríbelos, como en la actividad 1.**
Juega con tus compañeros.
¿Los adivinan?

3 Escucha **los números y escríbelos en cifras.**

pistas 87•92

a. [8][9]   d. [ ][ ]
b. [ ][ ]   e. [ ][ ]
c. [ ][ ]   f. [ ][ ]

4 ¡Crea tu mapa mental! Personaliza este mapa: piensa en cosas que hay en tu barrio o pueblo. Busca las palabras que necesites y añádelas.

LA VENTANA
~ PERIÓDICO DIGITAL ~

En este número de *La Ventana* hablamos de la ciudad de Pontevedra y de un camino que lleva a Galicia.

PONTEVEDRA, UNA CIUDAD HECHA PASEO

VÍDEO
DVD 7

←-- Reportaje de V Televisión (www.vtelevision.es)

metro**minuto**
Pontevedra

1 Mira **el vídeo y** di **si estas afirmaciones se dicen o no.**

a. Se puede ir en silla de ruedas por toda la ciudad. SÍ NO

b. Muy pocos desplazamientos son a pie. SÍ NO

c. Ir caminando es muy fácil. SÍ NO

2 ¿Qué representa el mapa? ¿A qué te recuerda? ¿Por qué crees que han escogido este diseño?

3 Lee **el texto sobre el Camino de Santiago.** Responde **verdadero o falso.**

a. El Camino termina en Santiago. V F

b. La mayoría de la gente hace el camino por motivos religiosos. V F

c. El recorrido se hace en coche. V F

Por Brais, corresponsal desde Pontevedra.

EL CAMINO DE SANTIAGO

1 El Camino de Santiago recorre cientos de kilómetros desde varios países (como Francia y Portugal) para llegar a la ciudad gallega de Santiago de Compostela.

5 La ruta más famosa es el Camino francés, que va por el norte de España. El recorrido se puede hacer a pie, en bicicleta y a caballo, pero ¡nunca en coche!

Para algunos es una peregrinación religiosa, pero
9 mucha gente lo hace por motivos culturales o deportivos.

¡CLIC!

¡Eres periodista!

Investiga sobre tu pueblo o tu ciudad. ¿Crees que está preparado para personas que van en silla de ruedas o que son ciegas?

1. Haz una lista de los elementos que hacen accesibles los lugares para todo el mundo.
   • hay rampas;
   • hay semáforos para ciegos;
   • …
2. Fotografía los aspectos positivos y negativos que veas.
3. Crea un póster con tus fotos y descríbelas.

CUESTIONARIO CULTURAL
¡Demuestra cuánto sabes!

En las ciudades españolas

→ En los quioscos se puede…
   a. comprar aspirinas.
   b. comprar periódicos.
   c. cortarse el pelo.

→ El centro histórico…
   a. es un monumento.
   b. es un museo de historia.
   c. es la zona antigua.

→ En las grandes ciudades…
   a. hay muchos coches.
   b. hay poca contaminación.
   c. hay poco ruido.

→ Una aldea es…
   a. un plato típico gallego.
   b. una población muy pequeña.
   c. la lista de normas de un parque.

La ciudad de Pontevedra

→ ¿Dónde está?
→ Cita dos barrios de Pontevedra.
→ ¿Se puede ir en coche por el centro de Pontevedra?

El Camino de Santiago

→ ¿Cuál de estas afirmaciones es la única correcta?
   a. Hay que hacer algunas partes en coche.
   b. Va desde Madrid a Pontevedra.
   c. Puedes hacerlo a pie.

Una calle de la zona vieja de Pontevedra

1. En la viñeta 2, ¿Brais puede ir en autobús hasta la playa? ¿Por qué?

2. En la viñeta 3, ¿Brais puede bajar hasta la playa? ¿Y bañarse? ¿Por qué?

3. ¿Cómo consiguen Brais y sus amigos las sillas especiales?

Taller 1 · LECCIÓN 1

ESTE ES MI BARRIO

 Nos preparamos

1 En parejas, vais a **grabar un vídeo** con los lugares de interés de vuestro barrio o pueblo. Pensad en **tres o cuatro lugares interesantes** para vosotros/as.

 Lo creamos

2 Preparad el **guion** del vídeo. Escribid lo que queréis explicar y decid dónde están los lugares.

 Lo presentamos

3 ¡Ya podéis **grabar** vuestro vídeo y **enseñárselo a la clase!**

Taller 2 · LECCIÓN 2

UNA NUBE DE PALABRAS

 Nos preparamos

1 Vas a crear una **nube de palabras** sobre la **ciudad** o sobre el **campo**. Escoge lo que quieres representar y **piensa en una imagen** (un coche, un edificio, un árbol…) para escribir las palabras dentro.

 Lo creamos

2 Anota qué **palabras** o **expresiones** representan mejor tus ideas. Pueden ser **positivas y negativas**, y puedes mezclarlas u organizarlas.

3 Escribe en **letras grandes** las más importantes para ti y en letras pequeñas el resto. También puedes usar **colores diferentes**.

Taller 3 · LECCIÓN 3

NUEVAS SEÑALES PARA LA ESCUELA

 Nos preparamos

1 En grupos, pensad qué **nuevas normas os gustaría tener en vuestra escuela**:

- qué cosas se pueden hacer y en qué lugares;
- qué cosas no se pueden hacer y en qué lugares;
- qué cosas hay que hacer y en qué lugares.

 Lo creamos

2 **Diseñad las señales** para expresar estas nuevas normas y decidid **dónde las vais a poner**.

 Lo presentamos

3 **Presentad** vuestras nuevas señales a la clase y **explicad** dónde las vais a poner. ¿Vuestros/as compañeros/as entienden vuestras señales?

LA VENTANA

~ PERIÓDICO DIGITAL ~

En este número de *La Ventana* hablamos de dos personajes de ficción hispanohablantes.

NOCHEBUENA EN EL PERÚ Y EN ESPAÑA

1 En Lima, la noche del día 24 de diciembre muchas personas van a la Misa del Gallo. Luego tenemos una cena especial: comemos, por
5 ejemplo, pavo, arroz con puré de manzana y, de postre, panetón con chocolate caliente. ¡Me encanta!

En las casas ponemos un belén y un árbol de Navidad decorado con
10 muchas luces y colores. Abrimos los regalos de Papá Noel y cantamos villancicos. Es una fiesta muy familiar.

En España, la Nochebuena también
15 se celebra con una cena especial: muchas familias cenan marisco y, de postre, turrones y otros dulces.

LUCÍA

EL BELÉN

1 El belén (también llamado nacimiento o pesebre) es una representación del nacimiento de Jesús que muchas familias ponen en su casa. Los belenes se hacen con las figuritas del Niño Jesús, de la Virgen María y de San José, que están acompañadas
5 por animales, pastores, ángeles y por los Reyes Magos (Melchor, Gaspar y Baltasar), que ofrecen a Jesús sus regalos.

¿Sabéis que en Costa Rica se decoran los belenes con flores, sobre todo con orquídeas?

ÓSCAR

↑ Dos belenes

1 Di una característica común de la celebración de la Nochebuena en Perú y en España.

2 Mira las fotos de los belenes. ¿Cuál es el de Costa Rica y cuál es el de España?

3 Lee el texto sobre el día de Reyes y di si estas frases son verdad o mentira.

a. La cabalgata de Reyes es el 5 de enero.

b. Los niños malos no reciben regalos.

c. Todos los niños españoles reciben regalos de los Reyes y de Papá Noel.

EL DÍA DE REYES

1   El 6 de enero se celebra el día de Reyes. En España, la
tarde del día 5 los Reyes Magos desfilan en cada pueblo
y ciudad (son las llamadas **cabalgatas**) y todo el mundo
sale a saludarlos. Al día siguiente, las niñas y los niños
5   buenos encuentran los regalos que los Reyes Magos les
han traído. Las niñas y los niños malos reciben carbón,
pero ¡es de azúcar!

Los Reyes son una tradición muy antigua en España. Hoy
en día, muchas familias también celebran Papá Noel, el 24
10   o el 25 de diciembre.

LAURA

↑ Cabalgata de Reyes en Alella (Barcelona)

POSTRES TÍPICOS DE NAVIDAD

BRAIS

Panetón

Turrón
duro

Turrón
blando

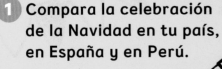

Roscón
de Reyes

Carbón
de Reyes

1 **Compara la celebración
de la Navidad en tu país,
en España y en Perú.**

¡Eres periodista!

Ayuda a los reporteros:
investiga sobre estos postres
típicos de Navidad y escribe un
pequeño texto para cada uno.

¿Dónde se comen? ¿Qué día?

LA VENTANA
~ PERIÓDICO DIGITAL ~

Algunos de nuestros reporteros escriben sobre las Fallas y el Carnaval.

LAS FALLAS (VALENCIA, ESPAÑA)

1 Las Fallas son unas fiestas que se celebran en muchos pueblos y ciudades de la Comunidad Valenciana del 15 al 19 de marzo. Las más famosas son las de la ciudad de Valencia. Durante esos días

5 se hacen pasacalles con música, se tiran muchísimos petardos y la gente mira las fallas.

Una falla es un conjunto de figuras (llamadas ninots), hechas tradicionalmente de cartón y de madera, que tiene un significado satírico y que

10 sirve para denunciar problemas sociales. Algunas son muy grandes y espectaculares. La noche del 19 se queman todas las fallas.

LA FALLERA MAYOR

Las falleras van vestidas con el traje típico

15 valenciano. Entre ellas, cada año se elige a la reina de la fiesta: la fallera mayor.

Óscar

↑ Una falla en Valencia

····❯ Una fallera (izquierda) y un *ninot* en llamas (derecha)

---

1 **Lee el texto sobre las Fallas y di si estas afirmaciones son verdad o mentira.**

    a. Esta fiesta solo se celebra en la ciudad de Valencia.

    b. Las fallas se utilizan para protestar.

    c. Después del 19 de marzo, cada año las fallas se guardan en un museo.

    d. Es lo mismo una falla que un *ninot*.

EL CARNAVAL DE VERACRUZ (MÉXICO)

1 El Carnaval de Veracruz es el más famoso de México y uno de los más importantes del mundo. De hecho, es considerado como "el más Alegre
5 del Mundo". Se celebra durante nueve días llenos de color, música y desfiles que inundan sus calles con un ambiente alegre y festivo.

EL ENTIERRO DE JUAN CARNAVAL

11 El útimo día de las fiestas se celebra el entierro de Juan Carnaval, una parodia cómico-dramática en la que se llora la muerte de este símbolo del
15 carnaval y se lee su testamento. De esta manera, los jarochos (habitantes de Veracruz) se despiden de la fiesta más esperada del año.

XIMENA

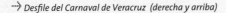 Desfile del Carnaval de Veracruz (derecha y arriba)

2 ¿Con qué nombre se conoce el Carnaval de Veracruz?

3 ¿A cuál de estas dos fiestas te gustaría asistir? ¿Por qué?

4 ¿Cómo celebráis el carnaval en tu ciudad?

¡Eres periodista!

Investiga qué fiestas importantes existen en tu país en diferentes momentos del año.

Juego

¿Quién es quién?

Jugad en parejas. Uno/a elige un personaje y la otra persona tiene que adivinarlo con preguntas. ¡Cuidado! Solo se puede responder sí o no.

XIMENA
- 🎂 12 años 🌐 mexicana
- 💬 español e inglés
- 👍 los animales

BRAIS
- 🎂 12 años 🌐 español
- 💬 español, gallego e inglés
- 👍 la música

LUCÍA
- 🎂 12 años 🌐 peruana
- 💬 español e inglés
- 👍 la música

LAURA
- 🎂 12 años 🌐 española
- 💬 español e inglés
- 👍 el deporte

ÓSCAR
- 🎂 12 años 🌐 español
- 💬 español, valenciano e inglés
- 👍 los animales

TARIQ
- 🎂 13 años 🌐 español
- 💬 español, árabe e inglés
- 👍 la música y dibujar

CLARA
- 🎂 13 años 🌐 española
- 💬 español, vasco e inglés
- 👍 dibujar y los animales

GUILHERME
- 🎂 13 años 🌐 portugués
- 💬 portugués, español e inglés
- 👍 la música

ÍÑIGO
- 🎂 12 años 🌐 español
- 💬 español, inglés y francés
- 👍 el deporte y dibujar

VALERIA
- 🎂 12 años 🌐 italiana
- 💬 italiano, español e inglés
- 👍 los animales

HANNAH
- 🎂 12 años 🌐 alemana
- 💬 alemán, inglés y español
- 👍 la música

LENA
- 🎂 13 años 🌐 alemana
- 💬 alemán, inglés y español
- 👍 dibujar

CATALINA
- 🎂 12 años 🌐 argentina
- 💬 español e inglés
- 👍 el deporte y la música

GUSTAVO
- 🎂 13 años 🌐 argentino
- 💬 español e inglés
- 👍 los animales y el deporte

JOÃO
- 🎂 13 años 🌐 brasileño
- 💬 portugués, español e inglés
- 👍 los animales

JORGE
- 🎂 24 años 🌐 español
- 💬 español e inglés
- 👍 la música

LOLA
- 🎂 22 años 🌐 española
- 💬 español, inglés y francés
- 👍 el deporte

QUIQUE
- 🎂 24 años 🌐 peruano
- 💬 español e inglés
- 👍 el deporte

ROSA
- 🎂 22 años 🌐 española
- 💬 español, inglés y alemán
- 👍 dibujar

MALIK
- 🎂 24 años 🌐 marroquí
- 💬 árabe, español y francés
- 👍 los animales

NASSER
- 🎂 12 años 🌐 marroquí
- 💬 árabe, español y francés
- 👍 dibujar

ALESSANDRA
- 🎂 13 años 🌐 italiana
- 💬 italiano, español y francés
- 👍 los animales

THIBAUT
- 🎂 12 años 🌐 francés
- 💬 francés, inglés y español
- 👍 la música y el deporte

LUC
- 🎂 12 años 🌐 francés
- 💬 francés, inglés y español
- 👍 los animales

ZOE
- 🎂 22 años 🌐 peruana
- 💬 español e inglés
- 👍 la música y los animales

🎂 Edad 🌐 Nacionalidad 💬 Idiomas 👍 Gustos

El juego de la Oca

De oca a oca...
¡y tiro porque
me toca!

Cada jugador/a tira un dado y responde a la pregunta que le toca. Si la respuesta es correcta, se queda en la casilla. Si no, vuelve atrás. Si cae en una oca, va hasta la oca siguiente y vuelve a tirar. Si cae en el pozo, pierde una tirada. ¡Quien llega primero a la oca del centro gana!

SALIDA

1
Di de qué color es tu camiseta.

2 17:45
Di esta hora.

3
El hijo del marido de mi madre es mi ....

4
¿Qué día es hoy?

5

6
Di un deporte que te gusta.

7
Di cómo se llama esta parte de la casa.

8
¿Qué clase tenéis los lunes a las 9 h?

9
Di de qué color es tu silla.

10
¿Cómo se dice en español?

11

12
Di, por orden, cuatro cosas que haces por la mañana.

13

14
15
Di dos actividades artísticas.

El ceviche lleva, principalmente, ... y ....

16
¿Cuál es la asignatura que menos te gusta?

17
Yo soy el/la .... de mi abuelo.

18

19
Di un día y una hora que tienes clase de Inglés.

20
Los padres de mi madre son mis ....

21
¿Cuál es tu asignatura favorita?

22
Di el nombre de estos alimentos.

23
Completa esta frase con un adverbio de frecuencia: "................ hago los deberes".

24 PARÍS - BARCELONA 19:15
El tren sale .... de la tarde.

25

26 ANA RUIZ LÓPEZ CARLOS LAMA GARCÍA
¿Cómo se forman los apellidos españoles?

27
¿Cuántas ventanas hay en tu clase?

28
Expresa acuerdo o desacuerdo: "¡Me encantan las arañas!"

29
Este mueble es un ....

30
Mira el dibujo y expresa tus gustos.

31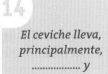
Di dos adjetivos para describir el carácter de un gato.

¡¡CAMPEONA!!

¡¡He ganado!!

¡¡CAMPEÓN!!

Juego

¿Dónde está Loli?

Cada jugador/a tira un dado y responde a la pregunta que le toca. Si la respuesta es correcta, se queda en la casilla. Si no, vuelve atrás. Cuando alguien llega a la meta, tiene que responder correctamente a todas las preguntas "¿Dónde está Loli?" (casillas 5, 8, 12, 17, 21). Si falla, vuelve a la casilla 5.

SALIDA

META

1 — Si necesito consultar un libro, voy a la b_ _ _ _ _ _ _ _ _.

2 — Di dos cosas que te gusta hacer en verano.

3 — ¿Dónde está el instituto de Villaloli con respecto a otros dos lugares?

4 — ¡Enhorabuena! Vas directamente a la casilla 12.

5 — ¿Dónde está Loli (1)? a. Delante de la escuela. b. Detrás de la escuela.

6 — Expresa acuerdo o desacuerdo: ¡Me encanta la verdura!

7 — ¿Dónde puedes comprar pescado fresco? En un m_ _ _ _ _ o.

8 — ¿Dónde está Loli (2)? a. Al lado del instituto. b. Lejos del instituto.

9 — Describe a tu compañero/a de la izquierda (el físico y el carácter).

10 — ¿Dónde puedes comprar el periódico? En un q_ _ _ _ _ _.

11 — Di algo que haces siempre, algo que haces a veces y algo que no haces nunca.

12 — ¿Dónde está Loli (3)? a. A la izquierda del campo de fútbol. b. A la derecha del campo de fútbol.

13 — ¡Ooohhh! Vuelves a la casilla 7.

14 — Reacciona: Mi asignatura favorita es Matemáticas.

15 — Completa: Siempre voy ...... la playa con mis amigos.

16 — Di el nombre de la primera comida del día.

17 — ¿Dónde está Loli (4)? a. Detrás de la estación de tren. b. Al lado de la estación.

18 — Corrige el error: Tu casa es mucho bonita.

19 — Lo contrario de sociable es _ _ _ _ _ _/_.

20 — Di qué significa esta señal.

21 — ¿Dónde está Loli (5)? a. Delante del hospital. b. Al lado del hospital.

Taller de teatro

GLORIA, UNA PERIODISTA SIN MEMORIA

Acto 1. LA ENTREVISTA

(Gloria entra en una cafetería. Detrás de la barra está Sandra, la camarera. Gloria habla con ella.)
GLORIA: Hola.
SANDRA: Hola, ¿qué tal?
GLORIA: Perdona, ¿cómo te llamas?
SANDRA: *(Enfadada.)* ¡Sandra! Vienes a esta cafetería cada semana y siempre me haces la misma pregunta.
GLORIA: Ah, lo siento. Es que tengo poca memoria.
SANDRA: ¿En qué te puedo ayudar?
(Gloria saca su agenda del bolso y se la enseña a Sandra.)
GLORIA: Tengo un problema. Mi agenda dice que tengo una entrevista en esta cafetería. Mi problema es que no sé a quién tengo que entrevistar. ¿Sabes si alguien me espera?
SANDRA: Puedes preguntarlo tú misma.
(Lucas, un hombre con barba y gafas está en una mesa leyendo un periódico. Gloria se acerca a él.)
GLORIA: Hola, buenos días… ¿esperas a alguien?
LUCAS: No. No espero a nadie. ¿Y tú?
GLORIA: Creo que sí.
(Una clienta de otra mesa levanta la mano.)
MAR A: ¡Oye! Creo que me buscas a mí.
GLORIA: Ah, muy bien, ¿cómo te llamas?
MAR A: María, ¿y tú eres Gloria?
(Gloria saca la cartera de su bolso, la abre y lo verifica con su carné de identidad.)
GLORIA: Sí, aquí dice que sí. *(Gloria se dirige hacia la otra mesa y olvida su agenda en la de Lucas.)* Bueno, ¿comenzamos la entrevista?
MAR A: Vale.
GLORIA: Vale, ehm… ¿cuántos años tienes?
MAR A: Tengo veinticinco años.
GLORIA: ¿A qué te dedicas?
MAR A: *(Sorprendida.)* Soy cantante…
GLORIA: *(Entusiasmada.)* ¡Eso es fantástico!
MAR A: Pareces sorprendida, ¿tú no eres la periodista de la revista *Música Total*?
GLORIA: ¿Eh…? *(Gloria mira en su bolso y saca una revista titulada* Música Total.*)* Ah, pues sí.
(Sandra, la camarera, se acerca a la mesa.)
SANDRA: ¿Quieres tomar algo, Gloria?
GLORIA: *(Sorprendida.)* Y tú, ¿cómo sabes mi nombre?

pista 93

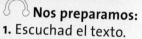

¡Hacemos teatro!

Nos preparamos:
1. Escuchad el texto.
2. Repartid los roles y memorizad bien vuestro texto.
3. Preparad el escenario y la decoración.

Técnicas de interpretación: Recuerda no darle nunca la espalda al público y hablar alto y claro.

GLORIA, UNA PERIODISTA SIN MEMORIA

Acto 2. EN EL MERCADO

(En la cafetería, Lucas, el cliente que lee el periódico, ve la agenda de Gloria sobre su mesa.)

LUCAS: ¡Anda, una agenda! *(Abre la agenda y empieza a leer.)* A ver: "Instrucciones para llegar a casa desde el trabajo". *(Pasa la página.)* "Nombre de mamá: Carmen. Nombre de papá: Paco. Papá es calvo y tiene los ojos azules. Mamá es la mujer que todos los días hace el desayuno en casa…". Caray… Ya veo que esta chica tiene una memoria de pez. ¡Camarera!

(Sandra mira a Lucas.)

SANDRA: ¿Sí?

LUCAS: ¿Sabes de quién es esta agenda?

SANDRA: ¡Claro! Es de Gloria, la periodista de antes, ¿recuerdas? ¡No puede vivir sin su agenda!

(Gloria está fuera, en la plaza del mercado. Los vendedores tratan de llamar la atención de los clientes.)

HOMBRE: ¡Fruta fresca! ¡La mejor fruta fresca de la ciudad!

MUJER: ¡Aceitunas! ¡Frutos secos!

GLORIA: Perdone, señora… ¿Dónde estamos?

MUJER: ¡En el mercado de la plaza de La Amistad! ¿Quiere comprar algo?

GLORIA: No… no lo sé.

MUJER: ¿Qué busca?

GLORIA: Tampoco lo sé.

(Un hombre se choca con Gloria.)

ARMANDO: Perdón. *(Reconoce a Gloria y la mira sorprendido.)* ¡Hombre, Gloria!

GLORIA: ¿Nos conocemos?

ARMANDO: ¡Soy Armando!

GLORIA: Yo soy Gloria.

ARMANDO: ¡Ya lo sé! ¡Eres Gloria, la periodista sin memoria!

GLORIA: ¿Y tú quién eres?

ARMANDO: ¡Soy Armando!, el periodista que habla rimando. Como tú, escribo para *Música Total*, un trabajo fenomenal.

GLORIA: Sí…

ARMANDO: Gloria, pareces preocupada, ¿estás cansada?

GLORIA: No me acuerdo.

ARMANDO: Siempre llevas tu agenda. ¿Dónde está?

GLORIA: ¿Mi agenda?

ARMANDO: Sí, ¡tu agenda es tu memoria!

GLORIA: ¡Mi agenda! ¡Yo siempre llevo una agenda!

ARMANDO: ¡Tenemos que encontrar tu agenda! ¿Dónde está?

GLORIA: *(Ella mira hacia los lados.)* Perdona, ¿cómo te llamas?

pista 94

¡Hacemos teatro!

🎧 **Nos preparamos:**
1. Escuchad el texto.
2. Repartid los roles y memorizad bien vuestro texto.
3. Preparad el escenario y la decoración.

Técnicas de interpretación:
Concéntrate en los demás actores y actrices cuando hables y no te quedes paralizado si olvidas alguna palabra.

Taller de teatro

GLORIA, UNA PERIODISTA SIN MEMORIA

Acto 3. EN LA CAFETERÍA

(En la recepción de la revista Música Total *hay un gran mostrador con muchas copias del último número. Detrás del mostrador, Marta, la recepcionista, trabaja en el ordenador. La puerta se abre y Gloria y Armando aparecen.)*

ARMANDO: ¡Buenos días!

MARTA: Buenos días, chicos, ¿qué tal?

ARMANDO: Tenemos un problema. Necesitamos saber qué entrevista ha hecho hoy Gloria.

GLORIA: Yo soy Gloria, encantada.

MARTA: Ya sé quién eres… *(A Armando.)* ¿Qué le pasa a Gloria?

ARMANDO: Es una larga historia.

MARTA: *(Mira en el ordenador.)* A ver, hoy a las 10 h… entrevista con María Sanabria, la famosa cantante, en la cafetería Lisboa, la que está en esta calle.

ARMANDO: ¡Gracias! ¡Vamos! *(Armando toma a Gloria de la mano. Juntos se dirigen a la cafetería.)*

(Armando y Gloria entran en el bar de Sandra.)

ARMANDO: ¡Buenos días!

SANDRA: Buenos días. ¡Hola, Gloria!

GLORIA: Hola…

(Lucas, el cliente que lee el periódico, se levanta y se acerca a los periodistas y a la camarera.)

LUCAS: *(A Gloria.)* ¡Eres tú!

GLORIA: No lo sé…

LUCAS: Eres Gloria, periodista de *Música Total*.

GLORIA: *(Gloria mira a Armando.)* Soy yo, ¿no?

ARMANDO: Sí, eres tú.

LUCAS: Sí, eres tú. *(Saca la agenda de Gloria y la lee.)* Te llamas Gloria, eres periodista, vives en la calle del Romero, en el número 3. Tienes un perro que se llama Ramón y cuatro gatos que se llaman Rodolfo, Ramiro, Ricardo y Gerónimo.

(Lucas le da la agenda a Gloria. Ella la abre y lee la primera página.)

GLORIA: Hola, Gloria, soy tu agenda. Como no tienes memoria, voy a ayudarte a recordar todo lo que necesitas. Lo primero que tienes que saber es que, sin mí, no puedes recordar nada. Información importante sobre ti: te gusta mucho el chocolate, pero no te gusta nada la verdura, y tienes alergia al huevo.

(Gloria y Armando se miran. Armando lee.)

ARMANDO: Todos los días te levantas a las ocho de la mañana y desayunas un café. Trabajas en la revista *Música Total*, donde están Marta, la recepcionista, y tus compañeros Tobías y Armando, que siempre habla rimando. A ti te gusta mucho Armando, pero él no lo sabe.

(Gloria y Armando se miran. Armando está feliz.)

ARMANDO: ¡Tú también me gustas a mí, Gloria!

GLORIA: *(Con aire indiferente.)* Ehm… ¿nos conocemos de algo?

¡Hacemos teatro!

pista 95

🎧 **Nos preparamos:**
1. Escuchad el texto.
2. Repartid los roles y memorizad bien vuestro texto.
3. Preparad el escenario y la decoración.

Técnicas de interpretación: En la medida de lo posible, acompaña lo que dices con gestos. En el escenario, debes ocupar todo el espacio. ¡Muévete a tus anchas!

CÓMO LEER Y ENTENDER LAS INSTRUCCIONES

Mis estrategias

1 Leer las instrucciones

- ✓ Lee las instrucciones de la actividad con atención, sin hacer nada más.
- ✓ Si hay varias frases o preguntas, léelas todas hasta el final antes de empezar a trabajar.
- ✓ Recuerda que si entiendes bien lo que debes hacer, ¡ya tienes medio trabajo hecho! Dedica el tiempo necesario a esta tarea.

2 Ante las dificultades...

- ✓ Si no entiendes lo que tienes que hacer:
  - Vuelve a leer las instrucciones con calma.
  - Si todavía no lo entiendes, pregunta a tu profesor/a o a un/a compañero/a.
- ✓ Si no sabes hacer lo que te piden las instrucciones:
  - Busca ayuda en tu cuaderno o en el libro. Tómate el tiempo que necesites.

- Si necesitas alguna aclaración más, seguro que tu profesor/a te la dará.
- No tengas miedo de preguntar: ¡así se aprende!

3 Mientras haces las actividades

- ✓ No empieces una tarea si no has terminado la anterior.
- ✓ Cuando acabes, comprueba que has hecho todo lo que te han pedido. ¡No te olvides nada!

Un caso práctico ▸ Unidad 1, Lección 3. ¿De dónde eres? ⇢ p. 32

¡Pon en práctica las estrategias anteriores para hacer esta actividad! Además...

LEER LAS INSTRUCCIONES

a. Observa las instrucciones de la actividad 1. Los verbos en color te ayudan. ¿Cuántas cosas tienes que hacer?

b. Lee la primera frase de las instrucciones. ¿Debes responder alguna pregunta?

c. Haz lo que te piden las instrucciones y, después, lee la segunda frase. ¿Entiendes lo que tienes que hacer?

d. Lee la tercera frase. Para hacer esta parte, necesitas tener ya localizadas las nacionalidades. ¡Asegúrate de que están todas!

> LAURA: ¡Hola, Elisa! 😃
> ELISA: ¡Laura! ¿Qué tal el campamento?
> LAURA: ¡Genial! 😊
> ELISA: ¿Sois todos españoles?
> LAURA: No, ¡somos de todo el mundo! Hannah y Lena son alemanas, Nathalie es francesa, Nabil es marroquí, Gustavo y Catalina son argentinos, Florin es rumano...
> ELISA: ¡Qué guay!
> LAURA: Ah, y Luca, es italiano... 😍😍😍😍
> ELISA: 😮😮😮 ¿Tienes foto?
> LAURA: ¡¡Noooo!! 😊 Y mi mejor amiga se llama Ainar y es de San Sebastián.
> ELISA: ¿Habla vasco?
> LAURA: Sí, español y vasco. Y Lucía es otra amiga. Es peruana, de Lima.
> ELISA: ¡Es un campamento internacional! ¿Y todos hablan español?
> LAURA: ¡Sí! Hablamos en español y en inglés. 😏
> ELISA: ¡Qué bien!

MIENTRAS HACES LAS ACTIVIDADES

e. Haz lo que te piden las instrucciones por orden y hasta el final.

f. Recuerda el objetivo de cada actividad, ¡eso te ayudará a hacerlas mucho mejor!

CÓMO ENTENDER MEJOR LOS TEXTOS ESCRITOS

Mis estrategias

1 Antes de leer

✓ Observa el título, las imágenes y la información sobre el autor y la obra. ¿Qué puedes deducir?

✓ Haz hipótesis:
- ¿De qué trata?
- ¿Qué tipo de texto es? ¿Es una novela, un artículo de prensa...?
- ¿Quién es el autor? ¿Lo conoces?
- ¿Cuándo se escribió el texto? ¿Es antiguo o actual?

✓ Lee las instrucciones de la actividad para saber en qué tienes que fijarte.

2 Mientras lees

✓ En tu primera lectura, intenta comprender el significado general. No te detengas en cada palabra que no entiendes.

✓ En tu segunda lectura, subraya las palabras o frases que no entiendes.

✓ Intenta deducir su significado. Puedes hacerlo...
- por el contexto y por la información que ya tienes.
- porque se parecen a palabras de tu lengua o de otras lenguas que conoces.

✓ Utiliza el glosario del libro o el diccionario. ¡No hace falta buscar todas las palabras! Selecciona las más importantes.

Un caso práctico ▸ Unidad 2, Lección 3. Los gustos de los animales ⤏ p. 51

¡Pon en práctica las estrategias anteriores para hacer esta actividad! Además...

ANTES DE LEER

a. Observa los elementos que hay en torno al texto. ¿Qué te dicen sobre el tema el título de la actividad y la fotografía?

b. La información que aparece bajo el texto, ¿qué te dice sobre el tipo de texto? ¿Lo que vas a leer es ficción o es real?

c. Lee las instrucciones de la actividad y las preguntas. Para responder a la primera pregunta, tienes que comprender el significado global. Para responder a la segunda, tienes que entender algunos detalles.

MIENTRAS LEES

d. Haz una primera lectura. Responde a la pregunta **¿Quién es Nora en la foto?** ¿Qué elementos te han servido para deducirlo?

e. En tu segunda lectura, subraya las palabras que no entiendes. Observa si son palabras o expresiones que han salido en la unidad.

f. Después, intenta deducir el significado de las otras palabras. Pregúntate:
- ¿Hay palabras similares en mi lengua?
- ¿Qué cosas les gusta hacer a los perros?

g. ¡Seguro que lo entiendes casi todo! Intenta hacer la actividad sin buscar palabras en el glosario ni en el diccionario.

CÓMO ENTENDER MEJOR LOS AUDIOS

Mis estrategias

1 Antes de escuchar

- ✓ Reflexiona sobre lo que ya puedes saber y sobre lo que escucharás.
  - ¿Hay alguna imagen o texto que te ayude?
  - ¿Las instrucciones dan alguna pista?
- ✓ Piensa en tu objetivo. Si tienes que hacer una actividad, lee bien las instrucciones y asegúrate de que las entiendes.

- ✓ Si vas a escuchar más de una vez, en cada escucha, concéntrate en lo que necesites.

2 Mientras escuchas

- ✓ Toma notas de lo que necesites para hacer la actividad.
- ✓ Si no lo entiendes todo, es normal. Recuerda la información que ya tienes. Te ayudará a hacer hipótesis.

3 Para hacer la actividad

- ✓ Usa todos los elementos que tienes para responder: la información previa, la lógica... ¡Seguro que puedes decir más cosas de las que crees!

Un caso práctico ▶ **Unidad 3, Lección 1. La familia de *Chica vampiro*** ⟶ p. 65

¡Pon en práctica las estrategias anteriores para hacer esta actividad! Además...

ANTES DE ESCUCHAR

a. Lee las instrucciones de la actividad 2. Piensa:
  - ¿Qué vas a escuchar? ¡Ya sabes que será un concurso de preguntas sobre *Chica vampiro*!
  - ¿Qué tienes que hacer con la información?
  - ¿Qué sabes ya sobre *Chica vampiro*?
b. Lee las instrucciones y las frases de la actividad 3 para saber en qué deberás fijarte cuando escuches.
c. Relájate y recuerda que no es necesario que lo entiendas todo.

MIENTRAS ESCUCHAS

d. En tu primera escucha, concéntrate solamente en la información que necesitas para hacer la actividad 2: las relaciones de familia entre los personajes.

e. En tu segunda escucha, debes fijarte en la descripción de los personajes.

f. Es normal que algunas palabras las entiendas cuando las lees, pero no cuando las escuchas. Con el tiempo, te acostumbrarás a la melodía del español y reconocerás cada vez más frases.

CÓMO ESCRIBIR MEJOR LOS TEXTOS

Mis estrategias

1 Antes de escribir

- ✓ Piensa en lo que quieres explicar y escribe los puntos clave.
- ✓ Ordénalos según aparecerán en tu texto.
- ✓ Si vas a escribir un relato de ficción, inspírate: puedes dar un paseo, hojear algún libro...

2 Mientras escribes

- ✓ Escribe frases cortas y simples que sepas que se entienden. Puedes usar el diccionario, pero procura usar palabras que ya conozcas.
- ✓ Lee tu primera versión y piensa qué puedes mejorar. Añade detalles o elimina cosas que sobren.

3 Para mejorar tu texto

- ✓ Fíjate en cómo está escrito. ¿Has usado los conectores necesarios? Te ayudarán a dar coherencia y orden al texto.
- ✓ Léelo una última vez y corrige los errores. Asegúrate de que has cumplido con los requisitos que te han dado al escribirlo.

Un caso práctico ▶ **Unidad 5, Lección 2. Ventajas e inconvenientes** ⇢ p. 103

¡Pon en práctica las estrategias anteriores para hacer esta actividad! Además...

ANTES DE ESCRIBIR

a. Lee las instrucciones y piensa:
- ¿Sobre qué debes escribir?
- ¿Qué tipo de texto tiene que ser? ¿Una historia, una argumentación...?

b. Haz una lista de ventajas y una lista de inconvenientes de vivir en una ciudad. Ten presentes el texto de la actividad 1 y los cuadros MI GRAMÁTICA y MIS PALABRAS de la unidad.

c. Dales un orden lógico a tus ideas. ¿Con qué vas a empezar? ¿Con lo más importante o con lo menos importante? ¿Con las ventajas o con los inconvenientes? ¿O los vas a combinar?

PARA ESCRIBIR Y MEJORAR TU TEXTO

d. Repasa (con el libro delante) las estructuras gramaticales y expresiones que necesitarás: los cuantificadores y la comparación.

e. Usa conectores: **y**, **pero**, **también**, **además**... Te ayudarán a dar coherencia y orden a tus ideas.

f. Antes de dar por terminado tu texto, léelo seguido y corrige y mejora lo necesario.

Resumen gramatical

EL ALFABETO

A **a**	H **hache**	Ñ **eñe**	T **te**
B **be**	I **i**	O **o**	U **u**
C **ce**	J **jota**	P **pe**	U **uve**
D **de**	K **ca**	Q **cu**	W **uve doble**
E **e**	L **ele**	R **erre**	X **equis**
F **efe**	M **eme**	RR **erre doble**	Y **ye**
G **ge**	N **ene**	S **ese**	Z **ceta/zeta**

 En español, los nombres de las letras son femeninos: **la** be, **la** equis, **la** ele.

LA PRONUNCIACIÓN

LA PRONUNCIACIÓN

B – V

La **b** y la **v** se pronuncian igual: **b**arco, **v**ivir.

C – Q

La **c** delante de	a o u	se pronuncia como	**c**asa **c**omida **C**urro
La **qu** delante de	e i	se pronuncia como	**que**so **e**quis

C – Z

La **c** delante de	e i	se pronuncia como	on**c**e **c**inco
La **z** delante de	a o u	se pronuncia como	pi**z**arra **z**oo **z**umo

G – J

La **g** delante de	e i	se pronuncia como	ar**g**entino ele**g**ir
La **j** delante de	a o u	se pronuncia como	**j**amón **j**ota **j**ugo

 También existen palabras con **j** delante de **e** o **i**: **j**efe, **j**irafa.

G – GU

La **g** delante de	a o u	se pronuncia como	**ga**to **go**ta **gu**star
La **gu** delante de	e i	se pronuncia como	portu**gu**és **gu**itarra

H

La **h** no se pronuncia: **h**ola.

R

Entre vocales, la **r** se pronuncia como un sonido débil: cultu**r**a.
Se pronuncia con un sonido fuerte cuando va a principio de una palabra y cuando se escribe **rr**: **R**oma, pe**rr**o.

LOS NÚMEROS

0 cero	15 quince	30 treinta	200 doscientos
1 uno	16 dieciséis	31 treinta y uno	300 trescientos
2 dos	17 diecisiete	32 treinta y dos	400 cuatrocientos
3 tres	18 dieciocho	33 treinta y tres	500 quinientos
4 cuatro	19 diecinueve	…	600 seiscientos
5 cinco	20 veinte	40 cuarenta	700 setecientos
6 seis	21 veintiuno	41 cuarenta y uno	800 ochocientos
7 siete	22 veintidós	…	900 novecientos
8 ocho	23 veintitrés	50 cincuenta	1000 mil
9 nueve	24 veinticuatro	60 sesenta	2000 dos mil
10 diez	25 veinticinco	70 setenta	…
11 once	26 veintiséis	80 ochenta	10 000 diez mil
12 doce	27 veintisiete	90 noventa	100 000 cien mil
13 trece	28 veintiocho	100 cien	1 000 000 un millón
14 catorce	29 veintinueve	101 ciento uno/a	

Resumen gramatical

EL GÉNERO EN LOS NOMBRES Y EN LOS ADJETIVOS

Terminación en...

-o masculino		-a femenino
chic**o**	→	chic**a**
buen**o**	→	buen**a**

Terminación en...

-e masculino		-e femenino
estudiant**e**	→	estudiant**e**
canadiens**e**	→	canadiens**e**

Terminación en...

consonante masculino		-a femenino
profeso**r**	→	profeso**ra**
españo**l**	→	españo**la**

consonante masculino		-a femenino
inglé**s**	→	ingle**sa**
alemá**n**	→	alema**na**

EL PLURAL EN LOS NOMBRES Y EN LOS ADJETIVOS

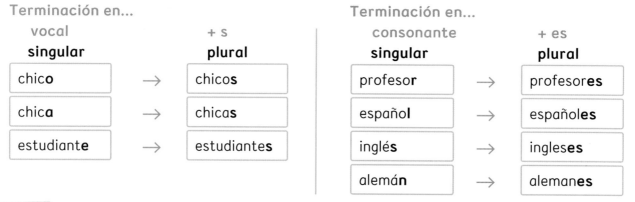

Terminación en...

vocal singular		+ s plural
chic**o**	→	chico**s**
chic**a**	→	chica**s**
estudiant**e**	→	estudiante**s**

Terminación en...

consonante singular		+ es plural
profeso**r**	→	profesor**es**
españo**l**	→	español**es**
inglé**s**	→	ingle**ses**
alemá**n**	→	aleman**es**

LOS ARTÍCULOS

Indeterminados

	MASCULINO	FEMENINO
SINGULAR	**un** chico	**una** chica
PLURAL	**unos** chicos	**unas** chicas

Los usamos para hablar de algo que se menciona por primera vez.

→ Ricardo es un amigo de Laura.

→ ¿Compramos unas manzanas?

Determinados

	MASCULINO	FEMENINO
SINGULAR	**el** chico	**la** chica
PLURAL	**los** chicos	**las** chicas

Los usamos para hablar de algo que ya se ha mencionado antes o que se conoce.

→ ¿Dónde está el amigo de Laura?

→ Me he comido todas las manzanas.

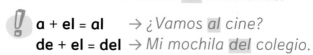 **a** + **el** = **al** → ¿Vamos al cine?
de + **el** = **del** → Mi mochila del colegio.

LOS POSESIVOS ÁTONOS

Los adjetivos posesivos indican pertenencia o relación personal.
Se colocan delante del sustantivo.

SINGULAR		PLURAL	
MASCULINO	FEMENINO	MASCULINO	FEMENINO
mi amigo	**mi** amiga	**mis** amigos	**mis** amigas
tu amigo	**tu** amiga	**tus** amigos	**tus** amigas
su amigo	**su** amiga	**sus** amigos	**sus** amigas
nuestro amigo	**nuestra** amiga	**nuestros** amigos	**nuestras** amigas
vuestro amigo	**vuestra** amiga	**vuestros** amigos	**vuestras** amigas
su amigo	**su** amiga	**sus** amigos	**sus** amigas

- Los posesivos **su/sus** pueden referirse a **él**, **ella**, **usted**, **ellos**, **ellas** o **ustedes**.
- Los posesivos correspondientes a **nosotros** y **vosotros** concuerdan en género y número con el sustantivo. Los demás, solo en número.
- Estas formas átonas nunca pueden ir precedidas de un artículo: *El mi amigo Luis*.

LOS CUANTIFICADORES

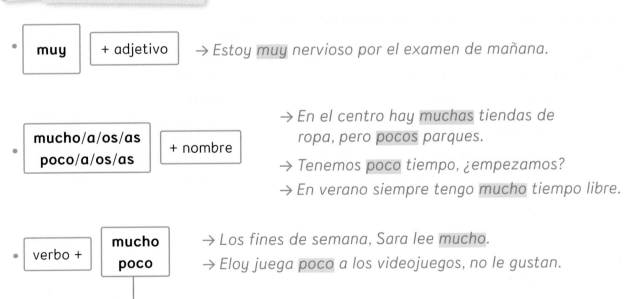

- **muy** + adjetivo → *Estoy muy nervioso por el examen de mañana.*

- **mucho/a/os/as** **poco/a/os/as** + nombre
  → *En el centro hay muchas tiendas de ropa, pero pocos parques.*
  → *Tenemos poco tiempo, ¿empezamos?*
  → *En verano siempre tengo mucho tiempo libre.*

- verbo + **mucho** **poco**
  → *Los fines de semana, Sara lee mucho.*
  → *Eloy juega poco a los videojuegos, no le gustan.*

Cuando los adverbios **mucho** y **poco** acompañan al verbo, son invariables.

Resumen gramatical

LA COMPARACIÓN

Para comparar, en español utilizamos las siguientes estructuras:

• **de superioridad:**

más	+ adjetivo + nombre	+ que
verbo	+ **más**	+ **que**

→ *España es* más *grande* que *Portugal.*
→ *En Madrid hay* más *museos* que *en Barcelona.*
→ *Jorge come* más que *Antón.*

• **de inferioridad:**

menos	+ adjetivo + nombre	+ que
verbo	+ **menos**	+ **que**

→ *Pontevedra está* menos *contaminada* que *Madrid.*
→ *En Barcelona hay* menos *museos* que *en Madrid.*
→ *Noemí duerme* menos que *Blanca.*

• **de igualdad:**

tanto/a/os/as	+ nombre	+ **como**
tan	+ adjetivo	+ **como**
verbo	+ **tanto**	+ **como**

→ *¡Aquí hay* tantos *coches* como *en Madrid!*
→ *Esta ciudad es* tan *bonita* como *Pontevedra.*
→ *Óscar estudia* tanto como *Ainara.*

Además, existen algunos adjetivos y adverbios irregulares:

Adjetivos:		**Adverbios:**	
~~más bueno/a/os/as~~ ⟶ **mejor/es**		~~más bien~~ ⟶ **mejor/es**	
~~más malo/a/os/as~~ ⟶ **peor/es**		~~más mal~~ ⟶ **peor/es**	

→ *El cine de mi barrio es* mejor que *este.*
→ *Pablo canta* peor que *Ana.*

LAS FRASES NEGATIVAS

Para formar una frase negativa, ponemos **no** delante del verbo.

→ *Hoy* no voy *al gimnasio, estoy cansada.*
→ *¿*No te gusta *la serie? ¡Es buenísima!*
→ *No puedes* salir fuera del colegio en el recreo.*
→ *Mi barrio* no tiene *biblioteca. Tengo que estudiar en casa.*

LAS FRASES INTERROGATIVAS

En español, ponemos un signo de interrogación al principio y al final de la pregunta.

→ ¿Cómo te llamas?

Para formular preguntas, utilizamos:

- **qué** → ¿Qué significa "correo electrónico"? ¿Qué lenguas hablas?
- **quién, quiénes** → ¿Quién es ese chico? ¿Quiénes son tus amigos?
- **cuál, cuáles** → ¿Cuál es tu color favorito? ¿Cuáles son tus libros?
- **cómo** → ¿Cómo te llamas? ¿Cómo estás?
- **dónde** → ¿Dónde vives? ¿Dónde está Martina?
- **cuándo** → ¿Cuándo tenemos el examen de Matemáticas? ¿Cuándo llegan Raúl y Sara?
- **cuánto/a/os/as** → ¿Cuánto tiempo tenemos? ¿Cuánta gente viene a la fiesta? ¿Cuántos amigos tienes en clase? ¿Cuántas veces nadas a la semana?

 Todos los interrogativos se escriben con tilde.

- **Cuánto/a/os/as** y **quién/es** concuerdan con el nombre o el verbo al que acompañan.

→ ¿Cuánto dinero tienes?

→ ¿Cuántas galletas quieres?

→ ¿Quién es el chico alto?

LA LOCALIZACIÓN

Para situar a una persona o una cosa respecto de otra, utilizamos estos adverbios o expresiones de lugar:

Hay un gusano **delante de** la caja.

Hay un gusano **detrás de** la caja.

Hay un gusano **encima de** la caja.

Hay un gusano **debajo de** la caja.

Hay un gusano **en / dentro de** la caja.

Hay un gusano **entre** las cajas.

Resumen gramatical

LA FRECUENCIA

Para expresar la frecuencia en español, podemos usar un adverbio o una locución adverbial.

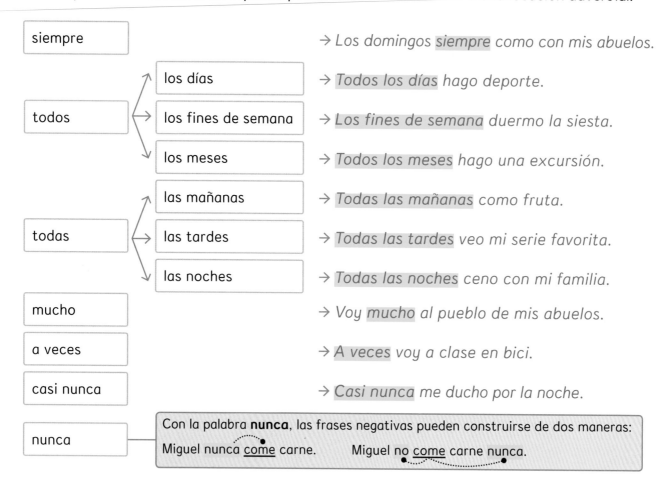

siempre		→ *Los domingos* siempre *como con mis abuelos.*
todos	los días	→ *Todos los días* hago deporte.*
	los fines de semana	→ *Los fines de semana* duermo la siesta.*
	los meses	→ *Todos los meses* hago una excursión.*
todas	las mañanas	→ *Todas las mañanas* como fruta.*
	las tardes	→ *Todas las tardes* veo mi serie favorita.*
	las noches	→ *Todas las noches* ceno con mi familia.*
mucho		→ *Voy* mucho *al pueblo de mis abuelos.*
a veces		→ *A veces* voy a clase en bici.*
casi nunca		→ *Casi nunca* me ducho por la noche.*

nunca

Con la palabra **nunca**, las frases negativas pueden construirse de dos maneras:

Miguel nunca <u>come</u> carne.   Miguel no <u>come</u> carne nunca.

TAMBIÉN TAMPOCO

Para reaccionar ante los gustos de otras personas, utilizamos:

- **también**, **yo sí** para expresar acuerdo;
- **tampoco**, **yo no** para expresar desacuerdo.

- Yo escucho música pop.
  - Yo **también**.
  - Yo **no**.

- Yo **no** estudio inglés.
  - Yo **tampoco**.
  - Yo **sí**.

- (A mí) Me gusta la pizza.
  - A mí **también**.
  - A mí **no**.

- (A mí) **No** me gustan los perros.
  - A mí **tampoco**.
  - A mí **sí**.

A mí no me gustan los videojuegos.

A mí sí.

¡A mí también!

POSIBILIDAD Y PERMISO

Para expresar posibilidad o permiso, usamos:

| poder | + infinitivo |

→ *En mi colegio* puedes elegir *muchas actividades extraescolares.*)

→ ● *¿*Podemos consultar *dudas en internet durante la clase?* (permiso)

○ *Sí,* podéis entrar *en la plataforma de la escuela.* (permiso)

OBLIGACIÓN

Para expresar la obligación o la necesidad de hacer algo, normalmente usamos:

| hay que | + infinitivo |

→ Hay que llevar *calculadora a la clase de Matemáticas.*
→ *¿Qué actividades* hay que hacer *para mañana?*

| tener que | + infinitivo |

→ Tienes que hacer *los deberes todos los días.*
→ *Para aprender bien español,* tengo que practicar *mucho.*

PROHIBICIÓN

Para expresar prohibición, usamos:

| no poder | + infinitivo |

→ *En la biblioteca* no se puede hablar.
→ *Por la noche* no se puede poner *la música muy alta.*

Resumen gramatical

LA HORA

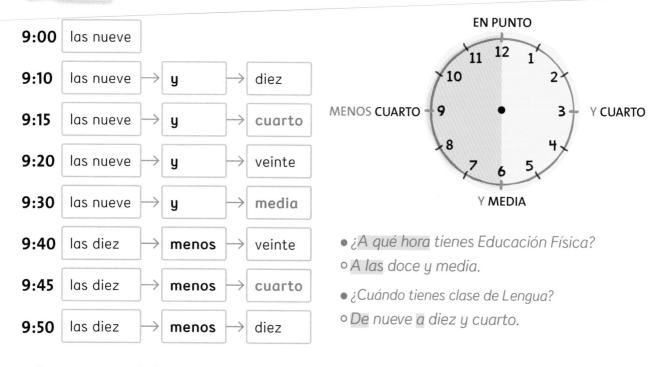

9:00	las nueve		
9:10	las nueve	→ y →	diez
9:15	las nueve	→ y →	cuarto
9:20	las nueve	→ y →	veinte
9:30	las nueve	→ y →	media
9:40	las diez	→ menos →	veinte
9:45	las diez	→ menos →	cuarto
9:50	las diez	→ menos →	diez

EN PUNTO

MENOS CUARTO — Y CUARTO

Y MEDIA

- ● *¿A qué hora tienes Educación Física?*
- ○ *A las doce y media.*

- ● *¿Cuándo tienes clase de Lengua?*
- ○ *De nueve a diez y cuarto.*

- Para preguntar la hora, decimos: **¿Qué hora es?**
- Para indicar la hora, decimos: **Es** la una.
- A partir de las dos, decimos: **Son** la**s** dos, la**s** tres, la**s** cuatro…
- Si es necesario precisar, añadimos: **de la mañana**, **de la tarde**, **de la noche**.

EL PRESENTE DE INDICATIVO

En español, existen tres grupos de verbos: los verbos que terminan en **-ar**, en **-er** y en **-ir**.

LOS VERBOS REGULARES

Para conjugar un verbo regular en presente, tomamos la raíz del verbo y le añadimos las siguientes terminaciones:

	(HABLAR) habl-		(COMER) com-		(ESCRIBIR) escrib-	
(yo)		o		o		o
(tú)		as		es		es
(él, ella)		a		e		e
(nosotros/as)		amos		emos		imos
(vosotros/as)		áis		éis		ís
(ellos, ellas)		an		en		en

LOS VERBOS IRREGULARES

Algunos verbos mantienen las mismas terminaciones que los verbos regulares, pero presentan un cambio vocálico en la raíz.

	e → ie	o → ue	e → i
	MERENDAR	**DORMIR**	**VESTIRSE**
(yo)	meriendo	duermo	**me** visto
(tú)	meriendas	duermes	**te** vistes
(él, ella)	merienda	duerme	**se** viste
(nosotros/as)	merendamos	dormimos	**nos** vestimos
(vosotros/as)	merendáis	dormís	**os** vestís
(ellos, ellas)	meriendan	duermen	**se** visten

Tienen los mismos cambios:	despertarse empezar preferir	volver acostarse jugar	pedir

Y otros, como el verbo **ir**, son completamente irregulares.

(yo)	voy		(nosotros/as)	vamos
(tú)	vas		(vosotros/as)	vais
(él, ella)	va		(ellos, ellas)	van

LOS VERBOS REFLEXIVOS

Los verbos reflexivos se conjugan igual que los verbos regulares e irregulares.
La diferencia es que se añade un pronombre delante del verbo.

	LEVANTARSE	**LAVARSE**	**DUCHARSE**
(yo)	**me** levanto	**me** lavo	**me** ducho
(tú)	**te** levantas	**te** lavas	**te** duchas
(él, ella)	**se** levanta	**se** lava	**se** ducha
(nosotros/as)	**nos** levantamos	**nos** lavamos	**nos** duchamos
(vosotros/as)	**os** levantáis	**os** laváis	**os** ducháis
(ellos, ellas)	**se** levantan	**se** lavan	**se** duchan

 En los verbos reflexivos la terminación del verbo y el pronombre se refieren a la misma persona.

Resumen gramatical

EL VERBO GUSTAR

Los verbos que expresan gustos, como **gustar** y **encantar**, se forman con un pronombre personal átono obligatorio. Además, el verbo concuerda con el sujeto.

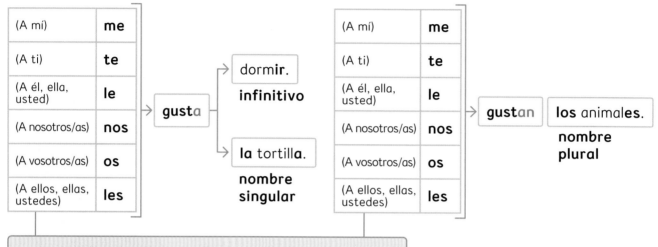

(A mí)	**me**
(A ti)	**te**
(A él, ella, usted)	**le**
(A nosotros/as)	**nos**
(A vosotros/as)	**os**
(A ellos, ellas, ustedes)	**les**

→ **gusta** →
- dorm**ir**.
  infinitivo
- la tortill**a**.
  nombre singular

(A mí)	**me**
(A ti)	**te**
(A él, ella, usted)	**le**
(A nosotros/as)	**nos**
(A vosotros/as)	**os**
(A ellos, ellas, ustedes)	**les**

→ **gustan** | **los** animal**es**.
nombre plural

Estos pronombres no aparecen siempre. Se usan para especificar o marcar de quién se está hablando.

¿No te gusta el hip hop? A mí sí me gusta.

→ *Me gusta mucho el fútbol, pero no me gustan los partidos en la tele.*
→ *Me gusta mucho el fútbol, pero no me gusta ver los partidos en la tele.*

HAY

El verbo **haber** en presente es invariable: **hay**.
Lo utilizamos para expresar la existencia de algo.

En mi habitación **hay**
- **un** armario.
- **dos** armarios.
- ø armarios.

 Después de **hay** no se puede poner un artículo determinado.

→ *En mi habitación, ~~hay el armario~~.*
→ *En mi habitación, hay un armario.*

LOS VERBOS SER Y ESTAR

	SER
(yo)	soy
(tú)	eres
(él, ella)	es
(nosotros/as)	somos
(vosotros/as)	sois
(ellos, ellas)	son

El verbo **ser** se usa para:

• hablar de la descripción física y del carácter.
→ *Mi hermano es alto y moreno.*
→ *Juana y Bea son muy simpáticas.*

• expresar la nacionalidad.
→ *Soy mexicana, como tú.*
→ *¿Sois brasileños?*

	ESTAR
(yo)	estoy
(tú)	estás
(él, ella)	está
(nosotros/as)	estamos
(vosotros/as)	estáis
(ellos, ellas)	están

El verbo **estar** se usa para ubicar en el espacio.

→ *Sara está en la biblioteca.*
→ *Mi colegio está cerca del parque.*
→ *¿Dónde están mis libros de inglés?*

LOS VERBOS ESTAR Y HAY

Estar se usa con:

nombres con artículo determinado

→ *La universidad está cerca de su casa.*

nombres con posesivo

→ *Mi casa está a la salida del pueblo.*

nombres propios

→ *Madrid está lejos de Pontevedra.*

Las frases con **estar** responden a la pregunta **¿dónde?**

Hay se usa con:

artículos indeterminados

→ *Cerca de mi casa hay un museo de ciencias.*

numerales

→ *En mi barrio hay dos parques muy grandes.*

cuantificadores

→ *En Pontevedra hay muchas tiendas pequeñas.*

nombres comunes sin artículo

→ *En mi barrio no hay cine.*

Las frases con **hay** responden a la pregunta **¿qué?**

Tablas de verbos

Infinitivo	Presente de indicativo		Infinitivo	Presente de indicativo

Verbos regulares

HABLAR	hablo hablas habla	hablamos habláis hablan
APRENDER	aprendo aprendes aprende	aprendemos aprendéis aprenden
VIVIR	vivo vives vive	vivimos vivís viven

Verbos reflexivos

LLAMARSE	me llamo te llamas se llama	nos llamamos os llamáis se llaman

Verbos con diptongo: E → IE

PENSAR	pienso piensas piensa	pensamos pensáis piensan
ENTENDER	entiendo entiendes entiende	entendemos entendéis entienden

Verbos con diptongo: O → UE

DORMIR	duermo duermes duerme	dormimos dormís duermen
VOLVER	vuelvo vuelves vuelve	volvemos volvéis vuelven
PODER	puedo puedes puede	podemos podéis pueden

Verbos con alternancia vocálica: E → I

PEDIR	pido pides pide	pedimos pedís piden

Algunos verbos irregulares

DAR	doy das da	damos dais dan
DECIR	digo dices dice	decimos decís dicen
ESTAR	estoy estás está	estamos estáis están
HABER	he has ha	hemos habéis han
HACER	hago haces hace	hacemos hacéis hacen
IR	voy vas va	vamos vais van
PONER	pongo pones pone	ponemos ponéis ponen
QUERER	quiero quieres quiere	queremos queréis quieren
SABER	sé sabes sabe	sabemos sabéis saben
SALIR	salgo sales sale	salimos salís salen
SER	soy eres es	somos sois son
TENER	tengo tienes tiene	tenemos tenéis tienen
VENIR	vengo vienes viene	venimos venís vienen
VER	veo ves ve	vemos veis ven

Glosario

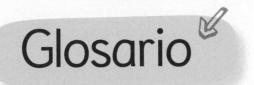

PRIMER CONTACTO			
ESPAÑOL	ENGLISH	FRANÇAIS	PORTUGUÊS
Imágenes en español			
(la) imagen	image	(l')image	(a) imagem
(el) español	Spanish	(l')espagnol	(o) espanhol
¿Cómo te suena el español?			
escuchar	to listen	écouter	ouvir
hablar	to speak	parler	falar
marcar	to mark	cocher	marcar
¡Ya sabes un poco!			
mirar	to look	regarder	ver
(la) palabra	word	(le) mot	(a) palavra
Objetos de la clase			
cerrar	to close	fermer	fechar
(la) página	page	(la) page	(a) página
(el) libro	book	(le) livre	(o) livro
(el) bolígrafo	pen	(le) stylo	(a) caneta
(el) lápiz	pencil	(le) crayon	(o) lápis
(la) libreta	notebook	(le) cahier	(o) caderno
(la) silla	chair	(la) chaise	(a) cadeira
(el) papel	paper	(le) papier	(o) papel
(la) mochila	backpack	(le) sac à dos	(a) mochila
(la) pizarra	blackboard	(le) tableau	(o) quadro de escrever
(la) ventana	window	(la) fenêtre	(a) janela
(la) puerta	door	(la) porte	(a) porta
(la) clase	class	(la) classe	(a) aula
(el) rotulador	whiteboard pen	(le) marqueur	(o) marcador
(la) mesa	table	(la) table	(a) mesa
Los reporteros			
español/a	Spanish	espagnol/e	espanhol/a
mexicano/a	Mexican	mexicain/e	mexicano/a
vivir (en)	to live (in)	vivre (à/en)	viver (em)
tener	to have	avoir	ter
escribir	to write	écrire	escrever
tocar	to play	jouer	tocar
leer	to read	lire	ler
(el) perro	dog	(le) chien	(o) cão
(el) animal	animal	(l')animal	(o) animal

Glosario

UNIDAD O NUESTRO VERANO			
ESPAÑOL	ENGLISH	FRANÇAIS	PORTUGUÊS
hola	hello	bonjour	olá
(el/la) chico/a	boy/girl	(le) garçon, (la) fille	(o/a) rapaz/rapariga
¿qué tal?	how's it going?	comment vas-tu ?	que tal?
¿cómo te llamas?	what's your name?	comment tu t'appelles ?	como te chamas?
¿de dónde sois?	where are you from?	d'où venez-vous ?	de onde és?
(la) foto (*abreviatura de fotografía*)	photo (*abbreviation of photograph*)	(la) photo (*abréviation de photographie*)	(a) foto (*abreviatura de fotografia*)
Saludos			
buenos días	good morning	bonjour	bom-dia
buenas tardes	good afternoon	bonsoir	boa-tarde
buenas noches	good night	bonsoir	boa-noite
bien	good	bien	bem
¿cómo estás?	how are you?	comment vas-tu ?	como estás?
gracias	thank you	merci	obrigado/a
Deletrear			
(el) nombre	name	(le) prénom	(o) nome
(el) apellido	surname	(le) nom	(o) apelido
deletrear	to spell	épeler	soletrar
(la) canción	song	(la) chanson	(a) canção
Entonación y sílabas tónicas			
(el) diálogo	dialogue	(le) dialogue	(o) diálogo
prestar atención	to pay attention	faire attention	prestar atenção
hacer gestos	to gesticulate	faire des gestes	fazer gestos
(la) sílaba	syllable	(la) syllabe	(a) sílaba
Los números			
preguntar	to ask	demander	perguntar
cantar	to sing	chanter	cantar
Despedidas			
¡hasta mañana!	see you tomorrow!	à demain !	até amanhã!
¡hasta luego!	see you later!	à bientôt !	até logo!
¡hasta pronto!	see you soon!	à bientôt !	até breve!
adiós	goodbye	au revoir !	adeus

UNIDAD 1 MIS AMIGOS Y YO			
ESPAÑOL	ENGLISH	FRANÇAIS	PORTUGUÊS
¡En marcha!			
(el/la) amigo/a	friend	(l')ami/e	(o/a) amigo/a
guapo/a	handsome/beautiful	beau, belle	bonito/a

nuevo/a	new	nouveau, nouvelle	novo/a
(el/la) profesor/a	teacher	(le/la) professeur/e	(o/a) professor/a
simpático/a	nice	sympathique	simpático/a
(la) capital	capital	(la) capitale	(a) capital
(la) ciudad	city	(la) ville	(a) cidade
(el) país	country	(le) pays	(o) país

¿Cuál es tu número de móvil?

(la) edad	age	(l')âge	(a) idade
(la) localidad	town	(la) ville	(a) localidade
(el) padre	father	(le) père	(o) pai
(la) madre	mother	(la) mère	(a) mãe
(el) teléfono	telephone	(le) téléphone	(o) telefone
(el) móvil	mobile phone	(le) téléphone portable	(o) telemóvel
(el) correo electrónico	email	(le) courrier électronique	(o) correio electrônico
cómo	how	comment	como
cuánto/a/os/as	how many/much	combien	quanto/a/os/as
dónde	where	où	onde
cuál/es	which	quel, quelle, quels, quelles	qual/quais
llamarse	to be called	s'appeler	chamar-se
ser	to be	être	ser
(el) número de teléfono	telephone number	(le) numéro de téléphone	(o) número de telefone

Nos presentamos

pequeño/a	small	petit/e	pequeno/a
(la) casa	house	(la) maison	(a) casa

¡Feliz cumpleaños!

enero	January	janvier	janeiro
febrero	February	février	fevereiro
marzo	March	mars	março
abril	April	avril	abril
mayo	May	mai	maio
junio	June	juin	junho
julio	July	juillet	julho
agosto	August	août	agosto
septiembre	September	septembre	setembro
octubre	October	octobre	outubro
noviembre	November	novembre	novembro
diciembre	December	décembre	dezembro
(el) mes	month	(le) mois	(o) mês
(la) fecha	date	(la) date	(a) data
(el) cumpleaños	birthday	(l')anniversaire	(o) aniversário

Glosario

(el) día	day	(le) jour	(o) dia
(el) día festivo	public holiday	(le) jour férié	(o) dia de festa

Las cuatro estaciones

(la) estación	season	(la) saison	(a) estação
(el) verano	summer	(l')été	(o) verão
(el) otoño	autumn	(l')automne	(o) outono
(la) primavera	spring	(le) printemps	(a) primavera
(el) invierno	winter	(l')hiver	(o) inverno

¿De dónde eres?

subrayar	to underline	souligner	sublinhar
genial	brilliant	génial/e	genial
(el) mundo	world	(le) monde	(o) mundo
alemán/a	German	allemand/e	alemão/ã
francés/a	French	français/e	francês/a
marroquí	Moroccan	marocain/e	marroquino/a
argentino/a	Argentinian	argentin/e	argentino/a
rumano/a	Romanian	roumain/e	romeno/a
italiano/a	Italian	italien/enne	italiano/a
peruano/a	Peruvian	péruvien/enne	peruano/a
inglés/a	English	anglais/e	inglês/inglesa
España	Spain	Espagne	Espanha
Marruecos	Morocco	Maroc	Marrocos
Alemania	Germany	Allemagne	Alemanha
Argentina	Argentina	Argentine	Argentina
Italia	Italy	Italie	Itália
Perú	Peru	Pérou	Peru
Francia	France	France	França
Rumanía	Romania	Roumanie	Roménia
Portugal	Portugal	Portugal	Portugal
portugués/a	Portuguese	portugais/e	português/portuguesa
(el) campamento	camp	(le) camp	(o) acampamento

¿Qué idiomas hablas?

(el) idioma	language	(la) langue	(o) idioma
(la) lengua	language	(la) langue	(a) língua
difícil	difficult	difficile	difícil

Mi gramática

canadiense	Canadian	canadien/enne	canadense
brasileño/a	Brazilian	brésilien/enne	brasileiro/a
estadounidense	American	nord-américain/e	estadunidense
ruso/a	Russian	russe	russo/a

cuándo	when	quand	quando
qué	what	que	o quê
quién/es	who	qui	quem
La Ventana			
mayor	old	âgé/e	maior
alto/a	tall	grand/e	alto/a
delgado/a	slim	mince	delgado/a
bajo/a	short	petit/e	baixo/a
gordo/a	fat	gros, grosse	gordo/a
joven	young	jeune	jovem

UNIDAD 2 MIS GUSTOS

ESPAÑOL	ENGLISH	FRANÇAIS	PORTUGUÊS
¡En marcha!			
hoy	today	aujourd'hui	hoje
cocinar	to cook	cuisiner	cozinhar
(la) comida	food	(le) repas	(a) comida
típico/a	typical	typique	típico/a
(el) pescado	fish	(le) poisson	(o) peixe
(el) limón	lemon	(le) citron	(o) limão
gustar	to like	goûter	gostar
(el) tomate	tomato	(la) tomate	(o) tomate
(el) plato	plate	(l')assiette	(o) prato
¿Qué cosas hace Lucía?			
chatear	to chat	chatter	falar por chat
comer	to eat	manger	comer
tocar el saxo	to play the saxophone	jouer du saxophone	tocar o saxofone
escuchar música	to listen to music	écouter de la musique	ouvir música
escribir poemas	to write poems	écrire des poèmes	escrever poemas
(el) refresco	soft drink	(le) rafraîchissement	(o) refresco
(la) habitación	bedroom	(la) chambre	(o) quarto
Me gusta leer			
jugar al fútbol	to play football	jouer au football	jogar futebol
estudiar	to study	étudier	estudar
también	also	aussi	também
tampoco	neither	non plus	também não
Platos favoritos			
(la) verdura	vegetable	(les) légumes verts	(as) verduras
(la) menestra	vegetable casserole	(la) jardinière de légumes	(o) cozido
(la) zanahoria	carrot	(la) carotte	(a) cenoura

Glosario

(el) pollo	chicken	(le) poulet	(o) frango
(la) tortilla de patatas	potato omelette	(l')omelette à la pomme de terre	(a) tortilha de batatas
(las) albóndigas	meatballs	(les) boulettes de viande	(as) almôndegas
(la) salsa de tomate	tomato sauce	(la) sauce tomate	(o) molho de tomate
(la) bebida	drink	(le) boisson	(a) bebida
(el) huevo	egg	(l')œuf	(o) ovo
(el) arroz	rice	(le) riz	(o) arroz
(la) carne	meat	(la) viande	(a) carne
bueno/a	good	bon, bonne	bom/boa

El menú del cole

al horno	baked	au four	ao forno
a la plancha	grilled	au grill	grelhado
(las) natillas	custard	(les) crèmes dessert	(o) leite-creme
(la) fruta	fruit	(le) fruit	(a) fruta
(la) gelatina	jelly	(la) gélatine	(a) gelatina
(la) ensalada	salad	(la) salade	(a) salada
(el) yogur	yoghurt	(le) yaourt	(o) iogurte
(las) espinacas	spinach	(les) épinards	(os) espinafres
(la) lasaña de carne	meat lasagne	(les) lasagnes à la viande	(a) lasanha de carne
(los) garbanzos	chickpeas	(les) pois chiches	(o) grão-de-bico
(el) calamar	squid	(le) calmar	(o) choco
(el) bistec	steak	(le) steak	(o) bife
(el) flan	crème caramel	(le) flanc	(o) flã
(la) paella	paella	(la) paella	(a) paelha
(las) lentejas	lentils	(les) lentilles	(as) lentilhas
encantar	to love	adorer	encantar
ser alérgico/a (a)	to be allergic (to)	être allergique	ser alérgico/a (a)
(el) alimento	food	(l')aliment	(o) alimento

¡Qué lindos!

(el) gato	cat	(le) chat	(o) gato
independiente	independent	indépendant/e	independente
bonito	pretty	joli/e	bonito/a
perezoso/a	lazy	paresseux/euse	preguiçoso/a
(la) serpiente	snake	(le) serpent	(a) serpente
feo/a	ugly	laid/e	feio/a
aburrido/a	boring	ennuyeux/euse	aborrecido/a
(la) cobaya	guinea pig	(le) cobaye	(a) cobaia
inteligente	intelligent	intelligent/e	inteligente
cariñoso/a	affectionate	affectueux/euse	carinhoso/a

nervioso/a	restless	nerveux/euse	nervoso/a
pesado/a	annoying	lourd/e	pesado/a
lindo/a	beautiful	beau, belle	lindo/a
(el) caballo	horse	(le) cheval	(o) cavalo
(la) tortuga	tortoise	(la) tortue	(a) tartaruga
(el) mono	monkey	(le) singe	(o) macaco
rápido/a	quick	rapide	rápido/a
lento/a	slow	lent/e	lento/a

Los gustos de los animales

(la) familia	family	(la) famille	(a) família
(la) galleta	biscuit	(le) biscuit	(a) bolacha
correr	to run	courir	correr
pasear	to go for a walk	se promener	passear
(el) árbol	tree	(l')arbre	(a) árvore
(la) persona	person	(la) personne	(a) pessoa
volar	to fly	voler	voar
dormir	to sleep	dormir	dormir
nadar	to swim	nager	nadar
(el) pez	fish	(le) poisson	(o) peixe
(la) vaca	cow	(la) vache	(a) vaca
(el) pájaro	bird	(l')oiseau	(o) pássaro

Mi gramática

aprender	to learn	apprendre	aprender
(el) cómic	comic	(la) B.D.	(a) banda desenhada
compañero/a	partner	(le/la) camarade de classe	companheiro/a
(la) pizza	pizza	(la) pizza	(a) pizza

Mis palabras

(la) pasta	pasta	(les) pâtes	(a) massa
(los) espaguetis	spaghetti	(les) spaghettis	(o) esparguete
tímido/a	shy	timide	tímido/a
sociable	sociable	sociable	sociável
gracioso/a	funny	drôle	engraçado/a
divertido/a	fun	amusant/e	divertido/a
trabajador/a	hard-working	travailleur/euse	trabalhador/a
antipático/a	not nice	antipathique	antipático/a
tonto/a	stupid	bête	tonto/a

La Ventana

ayudar	to help	aider	ajudar
(el) trabajo	work	(le) travail	(o) trabalho
saber	to know	savoir	saber

Glosario

(la) cosa	thing	(la) chose	(a) coisa
hacer	to do	faire	fazer
(el) vídeo	video	(la) vidéo	(o) vídeo

UNIDAD 3 MI FAMILIA Y MI CASA			
ESPAÑOL	ENGLISH	FRANÇAIS	PORTUGUÊS
¡En marcha!			
(el/la) hermano/a	brother/sister	(le) frère, (la) sœur	(o/a) irmão/irmã
(el/la) abuelo/a	grandfather/grandmother	(le) grand-père, (la) grand-mère	(o/a) avô/avó
(el) océano	ocean	(l')océan	(o) oceano
grande	big	grand/e	grande
chulo/a	cool	chouette	bonito/a
(el) acuario	aquarium	(l')aquarium	(o) aquário
¡qué suerte!	how lucky!	quelle chance !	que sorte!
(el) cole (*abreviatura de colegio*)	school	(l')école	(a) escola
(el) carácter	character	(le) caractère	(o) carácter
(la) mascota	pet	(l')animal de compagnie	(a) mascote
La familia de Óscar			
(el/la) hijo/a	son/daughter	(le) fils, (la) fille	(o/a) filho/a
(el/la) nieto/a	grandson/granddaughter	(le) petit-fils, (la) petite-fille	(o/a) neto/a
(la) mujer	wife	(la) femme	(a) esposa
(el) marido	husband	(le) mari	(o) marido
(la) gente	people	(les) gens	(a) gente
La familia de *Chica Vampiro*			
popular	popular	populaire	popular
morder	to bite	mordre	morder
salvar	to save	sauver	salvar
(la) vida	life	(la) vie	(a) vida
(el) problema	problem	(le) problème	(o) problema
Tengo los ojos marrones			
(la) cabeza	head	(la) tête	(a) cabeça
(el) pelo	hair	(les) cheveux	(o) cabelo
(el) ojo	eye	(l')œil	(o) olho
(la) nariz	nose	(le) nez	(a) nariz
(la) oreja	ear	(l')oreille	(a) orelha
(la) boca	mouth	(la) bouche	(a) boca
(el) cuello	neck	(le) cou	(o) pescoço
(el) hombro	shoulder	(l')épaule	(o) ombro
(el) brazo	arm	(le) bras	(o) braço

(la) mano	hand	(la) main	(a) mão
(la) barriga	belly	(le) ventre	(a) barriga
(la) pierna	leg	(la) jambe	(a) perna
(el) pie	foot	(le) pied	(o) pé
largo/a	long	long, longue	comprido/a
corto/a	short	court/e	curto/a

¿Quién es quién?

rubio/a	blonde	blond/e	louro/a
moreno/a	dark	brun/e	moreno/a
castaño/a	brunette	châtain	castanho/a
pelirrojo/a	ginger	roux, rousse	ruivo/a
liso/a	straight	lisse	liso/a
rizado/a	curly	frisé/e	encaracolado/a
azul	blue	bleu/e	azul
verde	green	vert/e	verde
negro/a	black	noir/e	preto/a
marrón	brown	marron	castanho
llevar	to wear	porter	usar
(las) gafas	glasses	(les) lunettes	(os) óculos
(el) bigote	moustache	(la) moustache	(o) bigode
(el) flequillo	fringe	(la) frange	(a) franja

¿Qué hay en el comedor?

(la) cocina	kitchen	(la) cuisine	(a) cozinha
(el) cuarto de baño	bathroom	(la) salle de bains	(o) quarto de banho
(el) salón comedor	dining room	(la) salle à manger	(a) sala de jantar
(el) patio	courtyard	(la) cour intérieure	(o) pátio
(el) balcón	balcony	(le) balcon	(a) varanda
(el) sofá	sofa	(le) canapé	(o) sofá
(la) cama	bed	(le) lit	(a) cama
(la) lámpara	lamp	(la) lampe	(o) candeeiro
(la) mesilla de noche	bedside table	(la) table de nuit	(a) mesinha de cabeceira
(la) nevera	fridge	(le) réfrigérateur	(o) frigorífico
(el) váter	toilet	(les) W.-C.	(a) sanita
(la) ducha	shower	(la) douche	(o) chuveiro
(el) ordenador	computer	(l')ordinateur	(o) computador
(la) tele (*abreviatura de televisión*)	TV (*abbreviation of television*)	(la) télé (*abréviation de télévision*)	(a) tv (*abreviatura de televisão*)

¿Qué hay debajo de la cama?

(el) armario	wardrobe	(l')armoire	(o) armário
(el) escritorio	desk	(le) bureau	(a) secretária
(la) estantería	shelves	(l')étagère	(a) estante

Glosario

(el) suelo	floor	(le) sol	(o) piso
(la) pared	wall	(le) mur	(a) parede
(la) ventana	window	(la) fenêtre	(a) janela
(el) póster	poster	(le) poster	(o) póster
(la) almohada	pillow	(l)'oreiller	(a) almofada
(el) balón	ball	(le) ballon	(a) bola
(la) guitarra	guitar	(la) guitare	(a) guitarra
(el) cesto de la ropa sucia	laundry basket	(le) panier à linge salle	(o) cesto da roupa suja
dentro (de)	inside (of)	à l'intérieur (de)	dentro (de)
encima (de)	on top (of)	au-dessus (de)	em cima (de)
debajo (de)	under	au-dessous (de)	debaixo (de)
delante (de)	in front (of)	devant	diante (de)
detrás (de)	behind	derrière	atrás (de)
Mi gramática			
casado/a	married	marié/e	casado/a
(el/la) sobrino/a	nephew/niece	(le) neveu, (la) nièce	(o/a) sobrinho/a
(el) fin de semana	weekend	(le) week-end	(o) fim de semana
cerca (de)	close (to)	près (de)	perto (de)
(la) caja	box	(la) boîte	(a) caixa
(la) araña	spider	(l')araignée	(a) aranha
Mis palabras			
(el) salón	living room	(le) salon	(a) sala
(el) jardín	garden	(le) jardin	(o) jardim
(la) nevera	fridge	(le) réfrigérateur	(o) frigorífico
blanco/a	white	blanc, blanche	branco/a
rojo/a	red	rouge	vermelho/a
amarillo/a	yellow	jaune	amarelo/a
gris	grey	gris, e	cinzento
lila	lilac	violet, ette	lilás
rosa	pink	rose	rosa
naranja	orange	orange	laranja
(el/la) medio hermano/a	half brother/sister	(le) demi-frère, (la) demi-sœur	(o) meio-irmão, (a) meia-irmã
La Ventana			
(el) pintor	painter	(le) peintre	(o) pintor
(el) cuadro	painting	(le) tableau	(o) quadro
(el/la) niño/a	child	(le) garçon, (la) fille	(a) criança
(la) playa	beach	(la) plage	(a) praia
(el) mar	sea	(la) mer	(o) mar
Somos ciudadanos			
(el/la) conductor/a de autobús	bus driver	(le/la) chauffeur de bus	(o/a) condutor/a de autocarro

UNIDAD 4 MI SEMANA			
ESPAÑOL	ENGLISH	FRANÇAIS	PORTUGUÊS
¡En marcha!			
entrar	to enter	entrer	entrar
(el) sábado	Saturday	(le) samedi	(o) sábado
(las) Mates (*abreviatura de* Matemáticas)	Maths (*abbreviation of* mathematics)	(les) maths (*abréviation de* Mathématiques)	(a) Matemática
(el) recreo	break time	(la) récréation	(o) recreio
(el) equipo	team	(l')équipe	(o) equipamento
(la) Educación Secundaria	Secondary Education	(l')Enseignement secondaire	(a) Educação Secundária
Por la mañana			
levantarse	to get up	se lever	levantar-se
luego	then	ensuite	depois
lavarse	to brush	se laver	lavar
(los) dientes	teeth	(les) dents	(os) dentes
salir (de)	to leave	sortir (de)	sair (de)
ir (a)	to go (to)	aller (à)	ir (a)
(el) baño	bath	(la) salle de bains	(o) banho
desayunar	to have breakfast	petit-déjeuner	tomar o pequeno-almoço
(el) desayuno	breakfast	(le) petit-déjeuner	(o) pequeno-almoço
vestirse	to get dressed	s'habiller	vestir-se
preparar la mochila	to prepare your backpack	préparer son sac à dos	preparar a mochila
después	after	ensuite	depois
ducharse	to shower	se doucher	duchar-se
(los) cereales	cereal	(les) céréales	(os) cereais
(el) café con leche	coffee with milk	(le) café au lait	(o) café com leite
(el) pan dulce	pastries	(le) petit pain	(o) pão doce
pasear al perro	to walk the dog	promener le chien	passear o cão
tomar	to eat/drink	prendre	tomar
Por la tarde y por la noche			
volver (a)	to return (to)	retourner (à)	regressar (a)
caminar	to walk	marcher	caminhar
cenar	to have dinner	dîner	jantar
especial	special	spécial/e	especial
raro	strange	rare	estranho
empezar	to start	commencer	começar
(la) mañana	morning	(le) matin	(a) manhã
(la) tarde	afternoon	(l')après-midi	(a) tarde
(la) noche	night	(la) nuit	(a) noite
ver	to watch	voir	ver
acostarse	to go to bed	se coucher	deitar-se

Glosario

merendar	to have an afternoon snack	goûter	lanchar
(la) merienda	afternoon snack	(le) goûter	(o) lanche
(las) redes sociales	social media	(les) réseaux sociaux	(as) redes sociais
hacer los deberes	to do your homework	faire ses devoirs	fazer os deveres
todo/a/os/as	all	tout, toute, tous, toutes	todo/a/os/as
El horario de Ximena			
(el) lunes	Monday	(le) lundi	(a) segunda-feira
(el) martes	Tuesday	(le) mardi	(a) terça-feira
(el) miércoles	Wednesday	(le) mercredi	(a) quarta-feira
(el) jueves	Thursday	(le) jeudi	(a) quinta-feira
(el) viernes	Friday	(le) vendredi	(a) sexta-feira
Lengua	Languages	Langue	Língua
Ciencias Naturales	Natural Sciences	Sciences naturelles	Ciências Naturais
Historia	History	Histoire	História
Física	Physics	Physique	Física
Química	Chemistry	Chimie	Química
Informática	Information Technology	Informatique	Informática
Artes	Art	Arts	Artes
Tecnología	Technology	Technologie	Tecnologia
Educación Física	Physical Education	Éducation physique	Educação Física
Educación Musical	Music	Éducation musicale	Educação Musical
Inglés	English	Anglais	Inglês
(la) tutoría	tutor	(le) tutorat	(a) reunião com o/a diretor/a de turma
(el) taller	workshop	(l')atelier	(o) ateliê
al mediodía	at midday	le midi	ao meio-dia
temprano	early	tôt	cedo
Nuestro horario			
y cuarto	quarter past	et quart	e quarto
y media	half past	et demie	e meia
menos cuarto	quarter to	moins le quart	menos quarto
Actividades extraescolares			
bailar	to dance	danser	dançar
(el) baloncesto	basketball	(le) basket-ball	(o) basquetebol
(la) gimnasia	gym	(la) gym	(a) ginástica
(el) piano	piano	(le) piano	(o) piano
(la) compu (*abreviatura de computadora*)	computer	(l')ordinateur	(o) computador
(la) danza	dance	(la) danse	(a) dança
(la) tarea	task	(la) tâche	(a) tarefa
(la) serie	series	(la) série	(a) série

Tiempo libre

ir al cine	to go to the cinema	aller au cinéma	ir ao cinema
ir/andar en bicicleta	to ride a bike	aller à vélo	passear/andar em bicicleta
salir con amigos	to go out with friends	sortir avec des amis	sair com amigos
(casi) siempre	(almost) always	(presque) toujours	(quase) sempre
todos los días	every day	tous les jours	todos os dias
mucho	a lot	beaucoup	muito
a veces	sometimes	parfois	às vezes
(casi) nunca	(almost) never	(presque) jamais	(quase) nunca

Mi gramática

preferir	to prefer	préférer	preferir
pedir	to ask for	demander	pedir

Mis palabras

(el) vóleibol	volleyball	(le) volley-ball	(o) voleibol
(la) piscina	swimming pool	(la) piscine	(a) piscina
(la) consola	console	(la) console	(a) consola
(el) almuerzo	mid-morning snack	(l')en-cas dans la matinée	(o) almoço
(el) domingo	Sunday	(le) dimanche	(o) domingo
(la) leche	milk	(le) lait	(o) leite
(la) mantequilla	butter	(le) beurre	(a) manteiga
(la) mermelada	jam	(la) confiture	(a) marmelada
(el) zumo	juice	(le) jus	(o) sumo
(la) natación	swimming	(la) natation	(a) natação

La Ventana

(la) fiesta	party	(la) fête	(a) festa
(el) pueblo	village	(le) village	(a) povoação
(la) calle	street	(la) rue	(a) rua
tradicional	traditional	traditionnel/elle	tradicional
(la) tradición	tradition	(la) tradition	(a) tradição
(la) pareja	couple	(le) couple	(o) casal

Somos ciudadanos

juntos	together	ensemble	juntos
(la) idea	idea	(l')idée	(a) ideia
(la) redacción	writing	(la) rédaction	(a) redação
necesitar	to need	avoir besoin (de)	necessitar
(los) deberes	homework	(les) devoirs	(os) deveres
entrevistar	to interview	interviewer	entrevistar
interesante	interesting	intéressant/e	interessante

Glosario

UNIDAD 5 MI BARRIO			
ESPAÑOL	**ENGLISH**	**FRANÇAIS**	**PORTUGUÊS**
¡En marcha!			
(la) biblioteca	library	(la) bibliothèque	(a) biblioteca
lejos	far	loin	longe
(el) trabajo de clase	classwork	(le) travail de classe	(o) trabalho na aula
turístico/a	touristy	touristique	turístico/a
(el) centro	centre	(le) centre	(o) centro
tranquilo/a	quiet	tranquille	tranquilo/a
¿Qué hay en tu barrio?			
(el) quiosco	newsstand	(le) kiosque	(o) quiosque
viejo/a	old	ancien, enne	velho/a
(la) tienda	shop	(le) magasin	(a) loja
(el) restaurante	restaurant	(le) restaurant	(o) restaurante
(el) bar	bar	(le) bar	(o) bar
(el) supermercado	supermarket	(le) supermarché	(o) supermercado
(el) mercado	market	(le) marché	(o) mercado
(la) farmacia	pharmacy	(la) pharmacie	(a) farmácia
(el) paseo	promenade	(la) promenade	(o) passeio
(el) parque	park	(le) parc	(o) parque
(la) bici (*abreviatura de bicicleta*)	bike (*abbreviation of bicycle*)	(le) vélo (*abréviation de vélocipède*)	(a) bicicleta
comprar	to buy	acheter	comprar
(el) medicamento	medicine	(le) médicament	(o) medicamento
(la) panadería	bakery	(la) boulangerie	(a) padaria
(el) periódico	newspaper	(le) journal	(o) jornal
(la) chuchería	sweets	(les) sucreries	(a) guloseima
(la) revista	magazine	(la) revue	(a) revista
(el) cruasán	croissant	(le) croissant	(o) croissant
¿Dónde está la Plaza de Barcelos?			
(el) mapa	map	(le) plan	(o) mapa
(el) campo	pitch / countryside	(le) terrain, (la) campagne	(o) campo
estar	to be	être	estar
al lado (de)	next (to)	à côté (de)	ao lado (de)
a la derecha (de)	on the right-hand side (of)	à droite (de)	à direita (de)
a la izquierda (de)	on the left-hand side (of)	à gauche (de)	à esquerda (de)
al final (de)	at the end (of)	au bout (de)	ao fim (de)
entre	between	entre	entre
(la) plaza	square	(la) place	(a) praça
(la) avenida	avenue	(l')avenue	(a) avenida
(la) universidad	university	(l')université	(a) universidade

¿Pueblo o ciudad?

(el) ruido	noise	(le) bruit	(o) ruído
(el) turismo	tourism	(le) tourisme	(o) turismo
(el) hospital	hospital	(l')hôpital	(o) hospital
(la) contaminación	pollution	(la) pollution	(a) contaminação
(el) edificio	building	(l')édifice	(o) edifício
(el) coche	car	(la) voiture	(o) automóvel
(el) deporte	sport	(le) sport	(o) desporto
(la) naturaleza	nature	(la) nature	(a) natureza
(el) servicio	service	(le) service	(o) serviço

Ventajas e inconvenientes

conocerse	to know	faire connaissance	conhecer-se
amable	kind	aimable	amável
(el) peligro	danger	(le) danger	(o) perigo
(la) libertad	freedom	(la) liberté	(a) liberdade
(la) actividad extraescolar	extracurricular activity	(l')activité extrascolaire	(a) atividade extracurricular
(el) cine	cinema	(le) cinéma	(o) cinema
(el) teatro	theatre	(le) théâtre	(o) teatro
(la) ventaja	advantage	(l')avantage	(a) vantagem
(la) desventaja	disadvantage	(l')inconvénient	(a) desvantagem
estresante	stressful	stressant/e	stressante

Nuestras responsabilidades

(el) cartel	poster	(l')affiche	(o) cartaz
(la) campaña de publicidad	advertising campaign	(la) campagne de publicité	(a) campanha de publicidade
(el) anuncio	advertisement	(l')annonce	(o) anúncio
(la) papelera	waste bin	(la) poubelle	(o) cesto dos papéis
(el) fuego	fire	(le) feu	(o) fogo
(el) paso de peatones	pedestrian crossing	(le) passage piéton	(a) passadeira para peões
(la) señal	sign	(le) panneau	(o) sinal

Hay que respetar las normas

tirar	to throw	jeter	deitar
(la) basura	rubbish	(les) déchets	(o) lixo
pisar	to walk on	écraser	pisar
(el) césped	grass	(la) pelouse	(a) relva
(el) grafiti	graffiti	(le) graffiti	(o) grafite
(el) monopatín	skateboard	(le) skateboard	(o) skate
(la) flor	flower	(la) fleur	(a) flor
respetar	to respect	respecter	respeitar
(el) contenedor	bin	(le) conteneur	(o) contentor

Glosario

(el) sol	sun	(le) sol	(o) sol
(la) regla	rule	(la) règle	(a) regra

Mi gramática

(el) tráfico	traffic	(la) circulation	(o) trânsito
(el) ayuntamiento	council	(la) mairie	(a) câmara municipal
(el) bosque	forest	(le) bois	(o) bosque
(el) gusano	worm	(le) ver de terre	(o) verme
(el) campo de fútbol	football pitch	(le) terrain de football	(o) campo de futebol
mejor	better	mieux	melhor
peor	worse	pire	pior
(la) pausa	break	(la) pause	(a) pausa

Mis palabras

ruidoso/a	noisy	bruyant/e	ruidoso/a
peligroso/a	dangerous	dangereux/euse	perigoso/a
seguro/a	safe	sûr/e	seguro/a
contaminado/a	polluted	pollué/e	contaminado/a
limpio/a	clean	propre	limpo/a
(la) librería	bookshop	(la) librairie	(a) livraria
(la) cafetería	cafe	(la) cafétéria	(a) cafetaria
(el) museo	museum	(le) musée	(o) museu
(el) río	river	(la) rivière, (le) fleuve	(o) rio
(el) pícnic	picnic	(le) pique-nique	(o) piquenique
(la) pelota	ball	(le) ballon	(a) bola
cruzar	to cross	traverser	atravessar

La Ventana

hacer ruido	to make noise	faire du bruit	fazer ruído
hacer fuego	to start a fire	faire un feu	fazer lume

Somos ciudadanos

(el) kilómetro	kilometre	(le) kilomètre	(o) quilómetro
(la) ruta	route	(la) rue	(o) trajeto
(el) recorrido	journey	(l')itinéraire	(o) percurso

MAPA POLÍTICO DE ESPAÑA

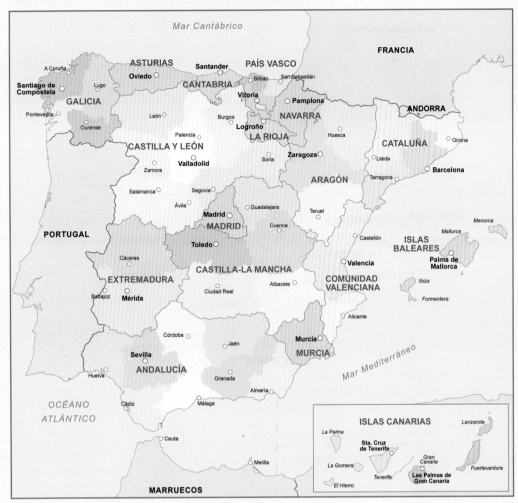

MAPA FÍSICO DE ESPAÑA

MAPAS DE AMÉRICA LATINA